いたいの、
ゆけ

目次

自分で殺した女の子に恋をするなんて、
どうかしている。

いたいのいたいの、とんでゆけ

三秋 縋

イラスト／E9L

第1章　始まりのさよなら

僕と霧子《きりこ》の間で文通が始まったのは、十二歳の初秋のことだった。あと半年で卒業という時期だったが、僕は父親の仕事の都合でそれまで通っていた小学校を離れることになった。転校。それが、僕と霧子を結びつけるきっかけになった。

十月の末で、最後の登校日だった。夜には町を発つことになっていた。本来であれば貴重な一日なのだろうが、もともと僕には友人らしい友人が二人しかおらず、その片方は体調不良で欠席、もう片方は家族旅行で欠席していた。だから一人ぼっちでその日を過ごすことになった。

四日前に行われたお別れ会で同じ文言ばかりの寄せ書きと萎《しお》れた花束を受け取ってからというもの、同級生は僕と顔をあわせるたびに「あれ、まだいたの？」とでもいたげな表情を浮かべるようになっており、教室は居た堪《たま》れない空間と化していた。僕は既にここに含まれていないのだ。そう切に感じた。

僕の転校を悲しんでいる者は一人もいなかった。その事実は寂しくもあったが、同時に僕を勇気づけもした。この転校によって僕から失われるものは、何一つとしてない。それどころか、新しい出会いを提供してくれさえするのだ。

次の学校では上手《うま》くやろう、と僕は思った。また転校するようなことがあったら、そのときはせめて、二、三人には別れを惜しんでほしいから。

授業が終わった。僕は机の中の教科書類をしまった後も、バレンタインデーの放課後に未練がましく教室に居残る男の子のように、ぐずぐずとランドセルの中を無意味にかき回していた。〈ひょっとしたら、誰かが最後に温かい言葉をかけてくれるかもしれない〉と期待せずにいられるほど僕は大人ではなかった。

最終登校日の心温まる思い出を諦めかけた頃、何者かが正面に立つ気配があった。紺のプリーツスカートと、細い脚。僕は緊張を悟られないように何気なく顔を上げた。

そこにいたのは、三年生の頃から秘かに想いを寄せていた青山倖《あおやまさち》でも、図書室で会うたびに首を傾けて笑いかけてくれた望月沙耶《もちづきさや》でもなかった。

「一緒に帰ってもいい？」

日隅《ひずみ》霧子は、生真面目《きまじめ》な顔で僕に訊《き》いた。

霧子は、眉の上で真っ直《す》ぐに切り揃《そろ》えられた前髪が印象的な女の子だ。内気な子で、囁《ささや》くような声でしか喋《しゃべ》らず、いつもぎこちない笑みを浮かべて俯《うつむ》いている。成績も平凡で、教室では目立たない存在だった。

それまでほとんど口をきいたこともない彼女が、なぜ今日に限って僕に声をかけてきたのか、不思議でならなかった。彼女が青山倖や望月沙耶ならよかったのに、と僕は内心がっかりした。しかし誘いを断る理由もない。「別にいいけど」と僕がいうと、霧子は俯いたまま「ありがとう」といって微笑《ほほえ》んだ。

帰り道、霧子は終始無言だった。ひどく緊張した様子で僕の横を歩き、時折、何かいいたげにこちらの顔を盗み見ていた。僕としても何を話せばいいのかわからなかった。明日この地を去る人間が、それまで特に仲よくしていたわけでもない相手に語るべきことなどあるだろうか？　そもそもそれ以前に、同い年の女の子と二人きりで帰るなど初めてなのだ。

互いにもじもじしているうちに、ついに一度も言葉を交わさないまま僕の家に着いてしまった。

「それじゃあ」

小さく手を振り、霧子に背を向けて玄関のドアノブに手をかけた。そこまできて彼女はようやく決心がついたらしく、僕の手を摑《つか》んで引き止め、「待って」といった。細く冷たい指の感触に戸惑った僕は、必要以上に素っ気なく訊いた。「どうした？」

「あの、瑞穂《みずほ》君に一つ、お願いがあるんだ。聞いてくれる？」

　僕は首の後ろを掻《か》いた。困ったときの癖だった。

「聞くには聞くけれど……明日転校する僕が、君にしてやれることなんてあるかな？」

「あるよ。それどころか、明日転校してしまう君にしかできない頼みなんだ」

　摑んだ手をじっと見つめながら、彼女はいった。

「手紙を書くから、それに返事を書いてほしいの。そうしたら私はまた返事を書くから」

　僕は少し考え込んだ。「それはつまり、文通がしたいということ？」

「そう。それ」霧子は恥ずかしそうにいった。

「どうして僕なんだ？　もっと親しい人とやった方が楽しいと思うんだけど」

「だって、近くの人と手紙を出しあってもつまらないでしょう？　私、遠くにいる人に手紙を出すことに、昔から憧れてたの」

「でも、手紙なんて書いたことがないよ」

「じゃあ私と一緒だね。がんばろう」

　摑んだ僕の手を上下に振って、霧子はいった。

「待ってよ、いきなりそんなこと頼まれても……」

　しかし結局、僕は霧子の頼みを引き受けた。年賀状以外に手紙らしい手紙を書いたことのない僕にとって、その時代遅れの発想はかえって斬新で興味深いものに聞こえた。初めて同い年の女の子に真剣に頼みごとをされて舞い上がってしまい、断るに断れなかったというのもある。

霧子は安堵《あんど》したように溜息《ためいき》をついた。

「よかった。断られたらどうしようかと思ってたんだ」

僕の転居先の住所を書いた紙を受け取った彼女は、「お手紙、待っててね」といって微笑み、僕に背を向け小走りで帰っていった。さよならもいわなかった。彼女の関心は僕が書く手紙にあるのであって、生身の僕にはなかったのだろう。

転校後、すぐに手紙が届いた。

「何よりもまず、私たちは、お互いのことを知るべきだと思います」と手紙には書かれていた。「ですから、まずは自己紹介をしましょう」

離れ離れになった同級生と今さら自己紹介をしあうというのも奇妙な話だが、他に書きたいことがあるわけでもなかったので、僕は彼女の提案に従った。

文通を始めてからしばらくして、僕はある発見をした。この日隅霧子という女の子、転校前はまともに口をきいたことがなかったのだが、手紙に書いてくる内容を見るに、どうやらあらゆる価値観が僕と酷似しているようなのだ。

〈なぜ勉強をしなければならないのか〉、〈なぜ人を殺してはいけないのか〉、〈才能とは何か〉。僕たちはそういう、教育の早い段階で大人に思考停止を強要される類《たぐい》の物事について一から考え直してみるのが好きだった。〈愛〉についても、僕たちは恥ずかしいくらい真面目に議論した。

「瑞穂くんは愛というものについてどう考えていますか？　たびたび友人たちが口にするその単語の意味が、私には未だによくわかりません」

「僕もよくわかりません。キリスト教では一口に愛といっても四種類の愛があるそうですし、他の宗教においても同様に複数の愛があるそうなので、お手上げです。たとえば僕の母がライ・クーダーに向ける気持ちは確実に愛ですが、僕の父がオールデンのコードヴァンに向けるのもまた愛でしょうし、僕がこうして霧子に手紙を送るのもある種の愛なのだと思います。色々です」

「さりげなく嬉《うれ》しいことをいってくれるのですね。ありがとう。瑞穂君の言葉を聞いて思ったのですが、私のいう愛と友人たちがいう愛は、多分定義からして違うのでしょう。だから軽々とそれを口にする彼女らをうさんくさく感じるのかもしれません。私がいっているのは、もっと少女じみた、ロマンティックな〈愛〉のことです。映画や本ではよく目にするけれど、現実では一度も見たことのない、家族愛や性愛とは異なるものとされている〈あれ〉です」

「僕も〈あれ〉が実在するのかどうかについては、未だに半信半疑です。ただ、もし霧子のいうような〈愛〉が実在せず、どこかの誰かが勝手に作った概念なのだとしたら、逆に感動的である気もします。遥《はる》か昔から、愛は数々の美しい絵や歌や物語が生まれるきっかけとなってきました。もしそれが作り物だったというなら、〈愛〉というのは人類最大の発明、あるいは世界で一番優しい嘘《うそ》ではないかと思うのです」

等々。

何について語りあっても、僕らの意見は生き別れの双子のように一致した。霧子はその奇跡を、「まるで魂の同窓会みたいですね」といった。僕にとっても、それはしっくりくる表現だった。魂の同窓会。

霧子との関係が深まっていく一方、僕は転入先の小学校に上手く馴染《なじ》めないままだった。卒業して進学すると、そこでいよいよ本格的に孤独な学生生活を送ることになった。教室では口を利く相手が一人もいなかったし、部活でも必要最低限の会話を交わすだけで、個人的なあれこれを語りあう相手はやはり一人もいなかった。これでは転校前の方がまだましだった。

霧子は中学に入ってから何もかもがよい方向に転じたらしく、手紙に書かれているのは彼女が幸せに過ごしている証《あかし》ばかりだった。何人かの素敵な友人ができたこと。部活仲間と毎日遅くまで部室に残って馬鹿話をしていること。文化祭の実行委員に選ばれたおかげで学校の普段入れない教室に入れてもらえたこと。クラスメイトと屋上に忍び込んで昼寝をして、後で教師に叱られたこと。等々。

そういった手紙に対して、僕の惨めな現状をありのままに綴《つづ》った手紙を返すのは気が引けた。向こうに妙な気遣いをさせたくなかったし、弱い人間だと思われるのも嫌だった。

おそらく彼女は僕が悩みを打ち明ければ、親身になって話を聞いてくれたことだろう。しかし僕はそんなことは望んでいなかった。霧子の前では、どこまでも格好つけていたかったのだ。

そこで僕は手紙に嘘を書くことにした。彼女に負けないくらい充実した生活を送っているという体で、架空の学校生活を便箋の上に描いた。

最初は強がりに過ぎなかったその行為は、けれども次第に、僕にとって一番の楽しみになっていった。どうやら僕は、演じる楽しみに目覚めたようだった。極力不自然な点を排除して、〈湯上《ゆがみ》瑞穂〉としてのリアリティを逸脱しない範囲で最良の学校生活を描くことによって、僕は手紙の中にもう一つの人生を作り上げた。霧子に向けて手紙を書いているとき、僕は理想の自分になることができた。

春も夏も秋も冬も、晴れの日も曇りの日も雨の日も雪の日も、僕は手紙を書いて街角の小さなポストに投函《とうかん》した。霧子からの手紙が届くと、慎重に封筒を鋏《はさみ》で切り開いて、顔に近づけて匂いを嗅ぎ、自室のベッドに腰掛けてコーヒーを飲みながらゆっくり文章を味わった。

もっとも恐れていた事態が起きたのは、文通を始めて五年目になる十七歳の秋だった。

「直接会って、お話がしたいです」

そう手紙には書かれていた。

「手紙の中では、どうしてもいえないようなこともあります。お互いの目を見て、お互いの声を聞きながら、お話ししてみたいです」

その手紙は僕を悩ませた。こちらにも、直接会って話がしてみたいという気持ちがないわけではない。この五年間で彼女がどう変化したのか、確かめたいのは山々だ。

だがそんなことをすれば、これまで僕が手紙に書いてきたことが嘘だと露見するのは明らかだった。心優しい霧子は、そのことで僕を責めはしないだろう。しかし、失望はするはずだ。

どうにかして一日だけ架空の〈湯上瑞穂〉になりきれないものかと画策したが、いくら細部を嘘で固めたところで、長年の孤独が染みついた目の濁りや挙動に見え隠れする自信のなさは隠せそうになかった。それまでまともに生きてこなかったことを、今さらのように後悔した。

彼女の誘いを断る上手い言い訳がないものかと考えているうちに、数週間が過ぎ、数箇月が過ぎた。このまま関係をフェードアウトさせてしまうのが最良の選択なのかもしれない、とある日僕は思った。真実を告げればこれまでのような心地よい関係は終わってしまうだろうし、かといって嘘を見抜かれることに怯えながら文通を続けるのも苦痛だ。

折しも受験勉強が忙しくなる時期だった。僕は自分でも驚くほどあっさりと、それまで五年間続いていた文通をやめる決心をした。

嫌われるくらいなら、こちらから関係を断ち切った方がましだと思ったのだ。

直接会いたいという手紙の翌月、霧子からまた手紙が届いた。相手から手紙が届いてから五日以上開けて返事を出す、という暗黙の了解が破られたのは初めてのことだった。僕からの便りがないのを心配したのだろう。

だが、僕は届いた手紙を開封すらしなかった。翌月にもやはりもう一通届いたが、それも無視した。心が痛まないわけではなかったが、他にどうしようもなかった。

文通をやめた翌週、友人ができた。ひょっとすると、霧子に依存し過ぎていたことが正常な交友関係を作ることの妨げになっていたのかもしれない、と僕は思った。

時が過ぎ、徐々に、郵便受けをチェックする癖がなくなっていった。

そのようにして、僕と霧子の関係は終わった。


再び霧子に手紙を出すきっかけとなったのは、友人の死だった。

四年生の夏、大学生活の大半を共に過ごした進藤晴彦《しんどうはるひこ》が自殺したことが原因で、僕はアパートに閉じこもるようになった。前期の重要な単位をいくつか落とし留年が確定したが、気にならなかった。まるで他人事《ひとごと》のようだった。

彼の死そのものへの悲しみは、ほとんど感じなかった。予兆はあったのだ。

初めて出会ったときからずっと、進藤は死にたがっていた。一日に煙草《たばこ》を三箱吸い、ウイスキーをストレートでがぶ飲みし、夜な夜なオートバイを飛ばした。アメリカン・ニューシネマに分類される映画を網羅しており、主人公たちの呆気《あっけ》ない死に様を繰り返し観ては、恍惚《こうこつ》とした表情で溜息を漏らしていた。

だから彼の死を知らされたときは、よかったじゃないかとさえ思った。ようやくいきたいところにいけたのだから。「もっと優しくしておけばよかった」とか「悩んでいるのを見抜いてあげられなかった」といった後悔は、微塵《みじん》もなかった。進藤だって、僕に悩みを聞いてほしいなどとは思っていなかっただろう。馬鹿笑いの日常の中、ふっと消えてなくなるのが彼の望みだったに違いない。

問題は残された僕だった。進藤の不在は、僕にとって大きな痛手だった。よくも悪くも、彼の存在は僕の支えだったのだ。僕より怠惰で、僕より自暴自棄で、僕より悲観的で、僕と同じくらい人生の目的に欠けた人間が傍《そば》にいることで、僕はずいぶんと救われていた。彼を見ていると、「あんな奴《やつ》でさえ生きているんだから、僕も何とか生きていかないとな」と思えたものだった。

その進藤が死んだことで、僕は心の拠《よ》り所を失った。外界に対する漠然とした恐怖が生まれ、深夜の二時から四時にしか外に出ることができなくなった。無理に外出しようとすると動悸《どうき》が止まらなくなり、過換気状態に陥り目眩《めまい》が起きる。酷《ひど》いときには手足や顔面が痺《しび》れて痙攣《けいれん》した。

カーテンを閉め切った部屋にこもって酒を飲みながら、彼の大好きだった映画を観続けた。それ以外の時間は寝てばかりいた。進藤の運転するオートバイのタンデムに跨《また》がって走り回った日々が懐かしかった。くだらないことばかりやった。脂臭い深夜のゲームセンターでアーケード筐体《きょうたい》にコインを送り込み続けたり、一晩かけて海へいって何もせずに帰ったり、川原で一日中水切りをしたり、オートバイからシャボン玉を撒《ま》き散らしながら町中を駆け回ったり。

だが今思えば、冴《さ》えない時間を共に過ごすことこそが僕らの友情を深めていたのだろう。もう少し健全な関係だったら、彼の死がここまでの寂しさをもたらすことなどなかったはずだ。

巻き込んでくれてもよかったのに、と僕は思った。進藤が誘ってくれたら、僕も彼と一緒に笑いながら谷底へダイブしていたことだろう。

そして、それがわかっていたからこそ、進藤は僕に一言の相談もせず死んでいったのかもしれない。

蟬《せみ》が死に絶え、木々が赤く色づき、秋がきた。十月の末のことだ。

ふと、進藤と交わした、他愛もない会話を思い出した。

それはよく晴れた七月の午後だった。蒸し暑い部屋の中、僕らはビールを飲みながら取り留めのないことを話していた。テーブルの灰皿には吸殻の山ができ、一本でも位置をずらしたら崩壊してしまいそうで、その横には空き缶がボウリングのピンのように規則正しく並べられていた。

窓の傍の電柱にとまった蟬の鳴き声が耳障りだった。進藤は空き缶を一つ拾い上げ、ベランダに出て蟬に向かって投げつけた。目標を大きく逸《そ》れた缶は道路に落ち、からからと音を立てた。進藤は悪態をついた。

二つ目の缶を手に取ったところで、蟬は彼を嘲笑《あざわら》うかのように飛び立っていった。

「そういえば」缶を持って立ち尽くしたまま、進藤はいった。「そろそろ合否連絡がきた頃じゃないのか？」

「僕が何も報告しない時点で察してほしいな」と僕は遠回しにいった。

「落ちたか」

「そうだよ」

「安心した」僕と同様に未だ内定が一つも取れていない進藤はそういった。「ちなみに、あれ以来どこか別のところは受けたのか？」

「いや。何もしていない。僕の就職活動は、夏休みに入った」

「夏休みか。それはいい」

俺も今日から夏休みということにしよう、と進藤はいった。

テレビでは高校野球の中継が放送されていた。僕たちより四つか五つも若い球児たちが、声援を浴びて活躍していた。試合は両者得点のないまま七回の裏まできていた。

「変なことを訊くようだけど」と僕はいった。「進藤は子供の頃、何になりたかった？」

「高校教師だよ。何度もいっただろう」

「ああ、そういえばそうだった」

「いま思うと、俺が教師を目指すなんて、片腕の人間がピアニストを目指すようなものだったな」

本人のいう通り、進藤という男はどう見ても教師には向いていなかった。それではどのような職業に向いているのかと訊かれても困る。〈こうなってはいけない〉という反面教師としてはこれほど適した人材はいないだろうが、今のところ反面教師という職業は存在しなかった。

「隻腕のピアニスト、いないわけじゃないけどな」と僕はいった。

「まあな。ちなみに、お前は何になりたかったんだ？」

「それが、何にもなりたくなかったんだ」

「嘘吐け」進藤は僕の肩を小突いた。「子供ってのは、大人の手によって、とりあえずは自分に夢があると錯覚させられるものだろう」

「でも本当なんだ」

テレビから歓声が上がった。試合が動いたようだ。フェンスに直撃した球を、外野手が必死に追いかけている。二塁ランナーは既に三塁を蹴り、中継に入った遊撃手は本塁への送球を諦めた。

貴重な一点が入りました、と実況がいった。

「そういえばお前、中学の頃は野球部所属で、しかも県内では名の知れた投手だったんだろう？」と進藤がいった。「中学時代の知人から聞いたことがある。湯上って名前の、二年生のくせに馬鹿みたいに正確な位置に球を投げるサウスポーがいたと」

「僕のことだろうな。どういうわけか、制球力だけは抜群だったんだ。でも、中二の秋には引退した」

「怪我《けが》でもしたのか？」

「いや。これがちょっと妙な話でさ。……中学二年の夏、県予選の準決勝で勝利を収めたあの日、確かに僕はヒーローだった。自分でいうのもなんだけど、その試合に勝てたのは僕一人のおかげみたいなものだったんだ。あの中学で野球部が準決勝まで勝ち残るなんて本当に珍しいことだったから、学校総出で応援してくれていた。会う人誰もが僕を褒め称《たた》えてくれた」

「今のお前からは、とてもじゃないが想像できないな」進藤は疑わしげにいった。

「そうだろうな」

僕は苦笑いした。彼がそういうのも無理はない。僕自身、当時を振り返るたび、狐《きつね》につままれたような気分になるくらいなのだ。

「学校では友人も少なく目立たない存在だった僕が、その一日で晴れてヒーローになったんだ。最高の気分だったな。ところが、だ。その晩、一日を振り返りながらベッドに横たわった僕は、突然、強烈な恥の感覚に襲われたんだ」

「恥？」

「そう、恥だよ。自分を恥じたんだ。『一体僕は何を浮かれているんだろう？』って」

「何もおかしくはないだろう。浮かれて当然の状況だ」

「まあね」と僕はいった。進藤のいう通りだ。あのとき僕が浮かれてはいけない理由など、一つもなかった。素直に喜べばよかったのだ。しかし僕の意識の下層に潜む何かがぬっと顔を出してきて、それを拒否した。膨らませ過ぎた風船が破裂するように、僕の気分は一瞬で萎《しぼ》んだ。

「とにかく、そう思った瞬間に何かもが馬鹿らしく思えてきたんだ。そして、『これ以上恥を晒《さら》したくない』と思った。二日後、決勝当日、僕は始発電車に乗って、あろうことか映画館に向かったんだ。そこで立て続けに映画を四本観た。冷房が効き過ぎていて、終始二の腕を擦《さす》っていたことを覚えてる」

　進藤は腹を抱えて笑った。「馬鹿じゃねえのか？」

「大馬鹿だね。でも、たとえ時が巻き戻ってもう一度同じチャンスを与えられても、僕はやっぱり同じ選択をすると思う。当然、試合は大差をつけられて負けた。部員も監督もクラスメイトも教師も両親も、揃って激怒していたな。まるで人殺しでもしたかのような扱いだった。決勝にこなかった理由を訊かれて『日にちを間違えた』と答えたら火に油を注いだみたいで、夏休み明け初日に物陰に連れ込まれて袋叩《ふくろだた》きにされた。鼻が折れて、少し形が変わった」

「自業自得だ」と進藤がいった。

「まったく」と僕は同意した。

テレビの試合も決着したようだった。ラストバッターは冴えないセカンドゴロに終わった。挨拶の後、両チームの選手が握手を交わしたが、負けた側のチームが――おそらく監督からそういう指導を受けてきたのだろうが――終始気持ち悪いくらいの笑顔《えがお》を作っていた。何だか病的だ。

「昔から、何の欲もない子供だったんだ」と僕はいった。「あれをしたい、これが欲しいっていう気持ちが一切なかった。熱しにくい上に冷めやすくて、何をやっても続かなかった。七夕の日に渡される短冊は、いつも白紙で提出していたな。うちにはクリスマスプレゼントというものがなかったけれど、それを不満に思ったことは一度もなかった。むしろ、毎年自分の欲しいものを決めなければならない他の家の子が可哀想《かわいそう》だと思っていたくらいだ。お年玉をもらっても母親に預けて、当時通っていたピアノ教室にかかる費用の足しにしてもらっていた。おまけにそのピアノも、家にいる時間を減らしたかったからやっていただけなんだ」

進藤はテレビを消し、CDプレイヤーの電源をコンセントに繋《つな》ぎ、再生ボタンを押した。ニール・ヤングの『トゥナイツ・ザ・ナイト』。彼のお気に入りの一枚だった。

「子供らしくない子供だな。気持ち悪い」一曲目が終わったところで、進藤がいった。

「でも、当時の僕は、それが普通だと思っていたんだ」と僕はいった。「大人っていうのは傲慢な子供を叱りはするけど寡欲な子供のことはそんなに叱らないものだから、自分がおかしいって気づくまでに時間がかかった。……多分、いま僕が突き当たっている壁も、それなんだ。採用担当にも伝わってしまうんだろうな、僕が本心では働きたがっていないどころか、金も欲しがっていないし、幸せになりたいとさえ思っていないことが」

　進藤はしばらく黙り込んでいた。

　くだらないことを喋ってしまったな、と僕は思った。

　話題を変えるために適当なことをいおうとしたとき、進藤はいった。

「でもお前、文通は楽しんでいたんだろう？」

「……文通か。そんなことをしていた時期もあったな」

　一時も忘れたことがないくせに、僕は今久しぶりに思い出したような口ぶりでそういった。

　進藤は、僕が霧子と文通を重ね、その中で嘘ばかり吐いていたことを知る唯一の人間だった。一年前にビアフェスティバルにいったとき、酔っ払って太陽にあてられて、つい口を滑らせてしまったのだ。

「確かに、あれを楽しんでいなかったといったら嘘になる」

「文通相手の女の子、なんていう名前だったかな？」

「日隅霧子」

「そう、日隅霧子だ。瑞穂に一方的に文通を打ち切られた女の子。可哀想に、お前が彼女を無視するようになっても、しばらくは健気《けなげ》に手紙を送り続けてきたんだよな」

進藤はビーフジャーキーを食いちぎり、ビールで流し込んだ。

そしていった。

「なあ、瑞穂。お前は日隅霧子に会いにいくべきだよ」

僕は冗談だと思って鼻で笑ったが、進藤の目つきは真剣そのもので、自分が今口にしたのは素晴らしいアイディアなのだという確信に満ちていた。

「霧子に会いにいく、か」と僕は皮肉っぽくいった。「そして五年前のことを謝罪して、『嘘吐きの僕を許してください』とでもいえばいいのか？」

進藤は首を横に振った。

「俺がいいたいのは、手紙に書いていたのが嘘だろうと真実だろうと、お前のいっていた……そう、『魂の交流』とやらが成立する相手っていうのは、そうそういるものじゃないってことだ。お前はもっと、その霧子という女の子との相性に自信を持ってよかったんだよ。大体、名前からして運命的じゃないか。〈ゆがみ〉と〈ひずみ〉。どっちも〈歪〉の訓読みだ」

「何にせよ、もう手遅れだ」

「どうかね。俺が思うに、本当に気持ちの通じあった人間なら、五年や十年のブランクなんてまったく問題にならない。まるで昨日の続きのように笑いあえるものなんだ。瑞穂にとっての日隅霧子がそういう存在であるかどうか確かめるためだけに、もう一度会いにいってみるのも悪くないと思う。ひょっとしたら、それがお前の失われた欲を取り戻すきっかけになるかもしれない」

　その後、僕が何と答えたかは覚えていない。きっと曖昧な返事をして、その話題を打ち切ったのだろう。


　霧子に会いにいってみよう、と僕は思った。進藤のくれた言葉を大切にしたいというのもあるし、親友がいなくなって単純に寂しかったというのもある。何より、「好きな人がいつまでも生きていてくれるとは限らない」と身をもって知ったことが、一番の後押しになった。

　勇気を振り絞って外に出た。車を飛ばして実家に帰った。自室のクローゼットから長方形型のクッキー缶を出し、霧子がくれた手紙を日付順に床の上に並べていった。でも僕が返事を出さなくなった後に霧子が立て続けに送ってきた開封すらせずにいた数通の手紙だけは、いくら探しても見つからなかった。どこへやってしまったのだろう？

懐かしい匂いのする部屋で、僕は手紙を一通一通読み返した。五年かけて溜まった計百二通を、最後の手紙から時間を遡《さかのぼ》る形で目を通した。

初めてもらった手紙を読み終える頃には、日が落ちていた。

封筒と便箋を買い、アパートに戻って手紙を書いた。宛先の住所は手が覚えていた。伝えたいことは山ほどあったが、実際に会って話すのが一番だろうと思い、文章は最小限にした。

「五年前はすみませんでした。あなたに隠していたことがあります。まだ僕を許す気があったら、十月二十六日、――公園にきてください。僕らの通っていた小学校の通学路にある、あの児童公園です。一日中、待っています」

それだけ書いて、葉書をポストに投函した。

期待はしていなかった。していないつもりだった。

第2章　ありきたりな悲劇

待ちあわせの公園に、霧子は現れなかった。

時計が二十四時を回ったのを確認して、僕はベンチから腰を上げた。これ以上待つのは無意味だろう。ペンキの剝がれた滑り台、座板を取り外されたブランコ、錆《さ》びたジャングルジム。十年前とは変わり果てた児童公園を後にした。

体は芯まで冷え切っていた。傘を差していたとはいえ、十月の雨の下に一日中いたのだから当然だ。水を吸ったモッズコートは重く冷たく、ジーンズは足にまとわりつき、下ろしたての靴は泥だらけになっていた。車できてよかった、と僕は思った。当初の計画通り電車とバスを乗り継いできていたら、明朝の始発を待たなければいけなったところだ。

早足で車内へ逃げ込み、濡《ぬ》れた上着を脱ぎ、エンジンをかけて暖房をつける。ベンチレーターは黴《かび》臭い熱風を吐き出し、二十分ほどかけてようやく車内が温まる。体の震えが治まってくるにつれて、酒が飲みたくなってきた。自棄酒に相応《ふさわ》しい、うんとアルコール度数の強い酒だ。

深夜営業のスーパーマーケットに寄り、ウイスキーの小瓶とミックスナッツを買った。レジスター前の列に並び会計を待っていると、二十代後半の化粧気のない女が堂々と割り込んできた。遅れてその恋人と見られる男が入ってくる。二人とも寝間着にサンダルを突っかけただけの格好なのに今香水をつけてきたばかりという臭いがした。文句をいおうと思ったが、結局僕の口からは舌打ちさえも出てこなかった。臆病者め、と心中で自分を罵る。

駐車場の隅に停めた車の中で、時間をかけてウイスキーを飲んだ。熱い飴《あめ》色の液体は喉を焼いて流れ落ち、意識に優しい靄《もや》をかけた。ラジオから流れる音の割れたオールディーズ、それと雨がルーフを叩く音が心地よい。駐車場灯の光が雨で弾《はじ》けて煌《きら》めいていた。

しかし音楽はいずれ終わり、酒は尽き、灯りは消える。ラジオを消して目を閉じた瞬間、僕は猛烈な寂しさに襲われた。一刻も早くアパートに戻って、毛布を頭から被り、何も考えずに眠りたかった。いつもは好んでさえいる暗闇が、静寂が、孤独が、このときに限っては僕の心を虫食《むしば》んだ。

端《はな》から期待しないつもりでいたが、どうやら僕は自分で思っていた以上に、霧子との再会を切望していたらしい。泥酔した頭は、平時よりいくらか素直に自分の感情を認めることができた。そう、僕は傷ついていたのだ。霧子が公園に現れなかったことに、心底落胆していた。

あの子はもう、僕を必要としていないのだ。

こんなことなら最初から誘いに乗っておけばよかったんだ、と僕は思った。十七歳の僕も二十二歳の僕も、嘘吐きで落ちこぼれのクズであることには変わりない。であれば、彼女が僕に会いたいと思ってくれている間に会っておいた方がよかったに決まっている。僕は何と勿体《もったい》ないことをしてしまったのだろう?

アルコールが抜けるまで眠っていく予定だったが、気が変わった。駐車場を出て、強めにアクセルを踏み込んだ。中古の軽自動車は悲鳴を上げながら加速した。

飲酒運転。

それが法律違反であることはわかっていたが、豪雨が感覚を麻痺《まひ》させていた。この雨の中なら、多少の悪さをしても咎められない気がした。

次第に雨が弱まってきた。酔いからくる眠気を吹き飛ばすために、さらにスピードを上げた。六十キロ、七十キロ、八十キロ。一瞬深い水溜りに嵌《は》まり轟音《ごうおん》を立てて減速し、再び加速する。この田舎道、この天候、この時間帯だ。対向車や歩行者の心配はないだろう。

長い直線だった。背の高い街灯が道の両脇に連綿と続いていた。僕はポケットから煙草を取り出し、シガーライターで火をつけ、三口吸った後窓から捨てた。

その頃には、僕の眠気は頂点に達していた。

意識を失っていたのは、ほんの一、二秒だったと思う。

だが目を覚ました次の瞬間には何もかもが手遅れになっていた。僕の運転する車は対向車線に進入しており、ヘッドライトは数メートル先の人影を照らしていた。

束の間、僕は色々なことを思い出した。その中には、とうの昔に忘れてしまっていた幼少時の何でもない記憶もたくさん含まれていた。短大を出立ての幼稚園教諭が作ってくれた薄水色の紙風船、風邪《かぜ》をひいて小学校を休んだ日に見たベランダのカラス、入院している母の見舞いの帰りに寄った薄暗い文房具店、等々。

それはいわゆる走馬灯のような現象だったのかもしれない。二十二年分の記憶の中から事故を回避するのに役立ちそうな知識や経験を取り出そうとして、僕はあらゆる抽斗《ひきだし》を開けて回ったのだろう。

甲高いブレーキ音が響いた。間にあわないのは確実だった。僕はすべてを諦め、瞼《まぶた》を閉じた。

直後、車体に強い衝撃があった。

ところが、車体に衝撃はなかった。永遠にも思える数秒を経て車が停止した後、僕はおそるおそる辺りを見回したが、少なくともヘッドライトの照らせる範囲には、人は倒れていなかった。

何が起きた？

ハザードランプを点け外に出て、まず車の前方に回った。車体には傷もへこみもなかった。人を轢《ひ》いたのだとしたら、何かしらの痕跡が残るはずだ。改めて周囲を見回し、車の下も確認したが、どこにも死体は転がっていなかった。狂ったように心臓が脈打っていた。

雨の中、立ち尽くした。ドアが開いたままであることを知らせる警告音が暗闇に響いていた。

「間にあったんだろうか？」と僕は独り言をいった。

僕が無意識にハンドルを切って避けたのか、向こうが咄嗟《とっさ》に身をかわしたのか。そしてそのまま立ち去ってしまったのか。

あるいはすべて、酔いと疲れが生んだ幻だったのか。

僕は人を轢かずに済んだのだろうか？

背後で、声がした。

「いいえ。間にあいませんでした」

振り向くと、少女がいた。グレーのブレザーとタータンチェックのスカートを見るに、学校帰りだろう。歳《とし》は十七前後というところで、僕よりも頭二つ分ほど背が小さい。傘を差さずに歩いていたらしく全身ずぶ濡れで、濡れた髪が額や頬に張りついていた。

ヘッドライトに照らされて雨の中に立つその長髪の女の子に、多分僕は、見惚《みと》れてしまっていたのだと思う。

美しい子だった。それは雨や泥に濡れたくらいでは損なわれず、かえって汚れによって引き立つような種類の美しさだった。

〝間にあいませんでした〟の意味を聞くより先に、少女は肩にかけていたスクールバッグの持ち手を両手で握り、勢いをつけて僕の顔を殴った。鞄は鼻に直撃し、細い光が視界に散らばった。僕は体勢を崩し、水溜りの上に仰向《あおむ》けに転倒した。たちまちコートに冷たい水が染み込んでくる。

「間にあわなかったんです。私、死んじゃいました」少女は僕の上に跨《また》がり、胸倉を掴んで揺さぶった。「何てことをしてくれるんですか？　どうしてくれるんですか？」

口を開こうとした瞬間、少女の右手が飛んできて僕の頬を張り、そのまま二発、三発と叩いた。鼻の奥がつんとして、血が出てくるのがわかった。だがこちらにそれをどうこういう資格はない。

僕はこの少女を殺してしまったのだから。

殺された本人は元気よく僕を殴り続けているが、でも確かに、僕は時速八十キロ以上で走らせていた車で彼女を轢いてしまったのだ。あの速度、あの距離だ。ブレーキを踏んだところで、ハンドルを切ったところで、間にあうわけがない。

少女は拳を作って僕の顔や胸を何度も殴った。殴られている最中痛みはほとんどなかったが、ごつごつと骨同士がぶつかる衝撃が不快だった。そのうち少女は疲れ果てたのか、息を切らして何度か咳《せ》き込み、ようやく手が止まった。

雨は依然降り続いていた。

「なあ、何が起きたか、説明してくれないか？」と僕は訊いた。口の中が切れて、錆びた鉄を舐《な》めるような味がした。「僕は君を轢き殺した。多分それは、間違いないんだと思う。じゃあ、どうして君は無傷で元気に動いている？　どうして車体に痕跡が残っていないんだ？」

答える代わりに、少女は立ち上がって僕の脇腹を蹴った。蹴ったというよりは、全体重をかけて踏みつけたといった方がいいかもしれない。これは効いた。内臓に杭でも打ち込まれたかのような痛みが走った。肺の空気がすべて漏れたように感じた。しばらく呼吸ができなかった。もう少し胃に物が入っていたら、すべて吐き出していただろう。体をくの字に折り悶《もだ》え咳き込む僕の姿を見て、少女はある程度気が済んだらしく、そこで暴力はやんだ。

苦痛が去るまで、仰向けに寝たまま雨に打たれていた。上体を起こして立ち上がろうとすると、少女が僕に向かって手を差し伸べていた。意図がわからず呆然《ぼうぜん》とその手を見つめている僕に、「いつまで座ってるんですか。早く立ってください」と少女はいった。

「家まで送ってもらいます。それくらいのことは引き受けてくれますよね、人殺しさん」

「……ああ、もちろん」

僕は差し出された手を摑んだ。

再び雨が強まってきた。無数の鳥がルーフをつついているような音がした。

助手席に乗り込んだ少女は濡れたブレザーを脱いで後部座席に放り、手探りで車内灯を点けた。

「いいですか？　よく見ていてください」

そういって、手のひらを僕の眼前に突きつけた。

ほどなくして、彼女の綺麗《きれい》な手のひらに、薄紫色の引きつった傷痕が浮かんできた。刃物で作った深い傷が、数年かけて治癒したような痕だった。先ほどの事故でできた傷には見えない。

唖然《あぜん》とする僕に向かって、少女はいった。

「この傷は、今から五年前にできたものです。……あとは、自分で考えてください。今の説明で、大体わかるでしょう？」

「わからない。いや、ますます混乱が深まった。一体どうなってる？」

少女はうんざりした様子で溜息を吐いた。

「つまり私は、自分の身に起きた出来事を、〈なかったこと〉にできるんです」

〈なかったこと〉？

彼女の発言の意味についてひとしきり考えてみたが、何一つ理解できなかった。

「もう少しわかりやすくいってくれないか？　それは比喩なのか？」

「いいえ。文字通りに解釈してくださって結構です。私は自分の身に起きた出来事を

まう。
僕は首を捻った。文字通りに解釈などしたら、いよいよわけがわからなくなってし
「信じられないのも無理はありません。当人ですら、なぜ自分にそんなことができる
のか、未だにわからないんですから」
少女はそういって、手のひらの傷を人指し指でゆっくりとなぞった。
「繰り返しますが、この傷は、五年前にできたものです。しかし私は、『怪我をした』
という事実を〈なかったこと〉にしていました。そして今、あなたへの説明のため、
それを元に戻したんです」
事実を〈なかったこと〉にした？
それはあまりに現実離れした話だった。自分の身に起きた出来事をなかったことに
できる人間など、聞いたことがない。その能力は明らかに人智を超えてしまっている。
だが、そうでもなければ説明できないような事態が、目の前で起きている。彼女が
身をもって証明している。車で轢いたはずなのに、助かっている。つい先ほどまでな
かった傷痕が、急に浮かび上がってくる。
まるで御伽噺《おとぎばなし》の魔法使いのような話だが、他に納得のできる説明ができるようにな

るまでは信じる他ない。ひとまず僕は、それを仮説として受け入れた。彼女は魔法を使える。自分の身に起きた出来事を、〈なかったこと〉にできる。

「ということは、僕が起こした事故も、君が〈なかったこと〉にしたのか？」

「そういうことです。信じられないなら、もう一つ別の例をお見せしますが」

少女はブラウスの袖を捲《まく》りながらいった。

「いや、信じるよ」と僕はいった。「あまりに……あまりに現実離れした話だけど、現に目の前で起きたことだ。でも、事故が〈なかったこと〉になったんだとしたら、どうして僕には〈君を轢いた〉という自覚があるんだ？　なぜ僕はそのまま走り去らなかった？」

彼女は肩を竦《すく》めた。「わかりませんよ。何もかもが自覚的に行われているわけではないんです。私が教えてほしいくらいです」

「それとももう一つ。便宜上そう表現してはいるけど、厳密にいえば、君は物事を完全に〈なかったこと〉にできるわけではないんだろう？　でないと、さっきの怒りが説明できない」

「……ええ、それは、その通りです」少女は憮然《ぶぜん》とした顔で頷《うなず》いた。「私の能力は、あくまでその場凌《しの》ぎに過ぎません。一定の期間が過ぎてしまえば、〈なかったこと〉

にしていた出来事は、再び元に戻ってしまいます。いうなれば、私にできるのは、起きてほしくなかった出来事を〈先送り〉にするだけのことなんです」

〈先送り〉。なるほど、と僕は思う。それなら先ほどの怒りにも納得がいく。彼女は死を免れたわけではなく、ただ保留しているだけで、いずれはそれを受け入れなければならないのだ。

先ほどの話からすると、少なくとも五年は出来事を先送りにできるのだろうかと思った矢先、少女は僕の思考を見抜いたようにいった。

「いっておきますが、手のひらの傷を五年も先送りできたのは、それが命には関わらないような浅い怪我だったからです。どれだけ出来事を先送りできるかは、私の願いの強さと出来事の大きさによって決まります。願いが強ければ強いほど保留していられる期間は延びますし、出来事が大きければ大きいほど保留していられる期間は縮まります」

「じゃあ、今日の事故を〈なかったこと〉にしていられるのは？」

「……感覚からいって、せいぜい十日間が限度でしょうね」

十日間。

それを過ぎれば、少女は死に、僕は人殺しになる。

実感は湧かなかった。被害者である少女が目の前で喋っているからというのもあったし、ここまできて僕は尚《なお》、これが悪い夢なのではないかという淡い希望を捨てきれずにいた。自分の過失で他人に取り返しのつかない損害を加えてしまうような夢を僕はこれまで何十回何百回と見てきており、今自分の身に起きていることもその一つに過ぎないのではないかと思えてしまったのだ。

僕はひとまず謝罪した。

「すまない。一体、どう詫《わ》びればいいのか……」

「いいですよ、謝ったって私は生き返りませんし、あなたの罪も消えません」と少女は突き放すようにいった。「ひとまず、家まで送ってください」

「……ああ」

「安全運転でお願いします。また別の人を轢かれては堪りませんから」

少女の案内に従い、車を走らせた。いつもは気にならないエンジン音が、やけに耳障りに感じられた。口内の血の味がいつまでも抜けず、僕は何度も唾を飲み込んだ。

少女がその不思議な力に気づいたのは、八歳の頃だったという。

ピアノ教室からの帰り道、彼女は猫の轢死体《れきしたい》を発見した。いつも近所を徘徊《はいかい》している、彼女もよく知る灰毛の猫だった。元々は人に飼われていたのか、異様に人懐こく、手招きをすると近づいてきて足の下をぐるぐる回った。触っても逃げないし、悪口をいってくることもない。少女にとっては数少ない友人だった。

その猫が無惨な姿で死んでいた。アスファルトに染み込んだ血は黒々としていたが、跳ね飛ばされた際についたらしいガードレールの血は真っ赤だった。

片づけたり埋めたりする勇気はなかった。少女は死体から目を逸らし、早足で帰宅した。その途中、オルゴールの音を聴いた。『マイ・ワイルド・アイリッシュ・ローズ』。以後、彼女は何度も何度も同じ曲を聴くことになる。〈先送り〉を行うことに成功したとき、彼女の頭の中ではいつもその曲が流れ始める。そして自動演奏が終わる頃には、彼女を傷つけるあれこれは〈なかったこと〉になるのだ。

宿題を済ませ、ラップされた夕食を一人で食べた後、彼女は思った。「あの猫は本当に私の知る猫だったんだろうか？」。もちろん意識下では、それが疑いようのない真実だということは理解していた。しかし意識の表層はそれを認めたがらなかった。

少女はサンダルをつっかけ、こっそり家を抜け出した。昼間に死骸を見た場所に着いたが、そこには死体どころか、血痕すらなかった。既に回収処分されたのだろうか？　あるいは誰かが見かねて移動させたのだろうか？　しかしどうも様子がおかしかった。まるで初めから死骸も血痕も存在しなかったかのようだった。少女はその場に立ち尽くした。場所を間違えたか、私の頭がおかしくなったか。

数日後、少女は灰毛の猫を見つけた。やっぱり私の勘違いだったんだ、と少女は胸を撫《な》で下ろした。いつものように手招きすると、猫は悠然と歩いてきた。頭を撫でようとして手を伸ばしたとき、少女は手のひらの外側に焼けるような痛みを感じた。慌てて引っ込めた手には、小指ほどの長さもある引っ掻き傷ができていた。

裏切られた気分だった。

一週間ほど経つと、傷は治るどころか赤く腫れ始めた。吐き気を伴う高熱が出て、学校を休むことになった。多分あの猫が保菌者だったのだろうな、と少女は思った。何という名前かは忘れてしまったが、猫の十匹に一匹は持っているというあの病原菌。それが引っ掻かれた際に傷口から侵入したのだろう。

熱は中々引かなかった。全身がだるく、間接やリンパ節のあちこちが痛んだ。

灰毛の猫が轢かれて死んだというのが、私の勘違いじゃなければよかったのに。そう考えるようになるまで時間はかからなかった。あの猫が生きていなければ、私はこんな辛《つら》い思いをしなくて済んだはずだった。

次に目を覚ましたとき、彼女の熱は完全に引いていた。痛みも吐き気もなく、健康そのものだった。

「熱、引いたみたい」

母親にそう報告すると、首を傾《かし》げられた。

「あなた、熱なんてあったの？」

数日間それが原因で寝込んでいたというのにこの人は何をいうのだろう、と少女は思った。昨日だって、一昨日《おととい》だって……と記憶を辿《たど》ろうとしたとき、彼女は自分の頭の中に、病気で寝込んでいた日々とは別の記憶が並存していることに気づいた。

その記憶の中では、彼女は昨日も一昨日も、それどころかここ一箇月、一日たりとも休まず学校にいっていた。授業の内容も、昼休みに読んだ本も、給食のメニューも思い出せた。

直後、彼女は深い混乱に陥った。昨日、私は一日中家で寝ていた。昨日、私は学校にいって算数と国語と図工と体育と社会の授業を受けた。相矛盾する記憶が存在した。

ふと手のひらを見ると、引っ掻き傷が消えていた。治った、という感じではなかった。傷は本来あった場所から消滅していた。違う、と彼女は思った。そもそも傷などなかったのだ。あの時死んでいた猫は、私のよく知るあの猫だったのだ。死んだ猫が人を引っ掻けるはずもない。

　そして死んだはずの猫を一時的に延命させていたのが自分自身だということを、彼女は理由もなく確信していた。私が、願ったから。私があの灰毛の猫に死んでいてほしくないと強く願ったから、一時的に、「猫が車に轢かれた」という事実は〈なかったこと〉にされていたのだろう。だがその猫に引っ掻かれたことが原因で病気になった私は、「あんな猫死んでしまえばよかったんだ」と思うようになった。ゆえに最初の願いは効力を失い、事故は再び〈起きていたこと〉になり、私は猫に引っ掻かれていないことになったのだ。

　少女のその解釈は、限りなく正確だった。後日、仮説を確かめるため、少女はあの日猫の死骸があった場所へ向かった。予想通り、消えたはずの血痕が復活していた。やはり事故は起きていた。それが一時的に〈なかったこと〉にされていたに過ぎないのだ。

　以後、嫌なことが起こるたび、少女は次々とそれらを〈なかったこと〉にした。彼女の人生は〈なかったこと〉にしたいあれこれで一杯だった。だからこそ、自分にこういう能力が授けられたのだろう、と彼女は思った。

　以上の話は、少女がもう少し後になって語ったものだ。

交差点で信号待ちをしていると、助手席側の窓の外に顔を向けたまま、少女がいった。

「変な臭いがするんですけど」

「臭い？」

「さっきは雨の中だから気づきませんでしたけど……あなた、もしかしてお酒飲んでました？」

「ああ、そうだ」

僕は投げやりに答えた。

「飲酒運転ですか」呆《あき》れ果てた様子で少女はいった。「自分だけは大丈夫、なんて思っていたんでしょうね」

返す言葉もなかった。飲酒運転のリスクそのものは理解しているつもりでいたが、僕が漠然と考えていた〈リスク〉とは、飲酒検問に引っかかったり自損事故を起こしたりといった程度のものだった。死亡事故などというのは、銀行強盗やバスジャックと同じくらい自分には縁がないものだと決め込んでいたのだ。

「そこを左に曲がってください」と少女はいった。

明かりのない山道に入った。ふと速度計を見ると、三十キロも出ていなかった。心持ち強めにアクセルを踏もうとした瞬間、足が強張るのを感じた。不思議に思いつつも速度を上げていくと、手のひらから尋常でない量の汗が滲《にじ》んできた。

対向車のライトが目に入った。僕はアクセルを緩めて速度を落とした。対向車と擦れ違い終えた後も僕は速度を落とし続け、ついには車を停めてしまった。事故の直後のように、心臓が激しく脈打っていた。冷や汗が脇の下を流れ落ちた。再び車を発進させようとしたが、足が動かない。少女を轢く寸前に経験した〈あの感じ〉が、頭にこびりついて離れなかった。

「ひょっとして」と少女がいった。「私を轢いたことで、車の運転が怖くなりましたか?」

「参ったな。そうらしい」

「いい気味です」

何度再挑戦しても、数メートル進んだだけで動悸が止まらなくなった。僕は車を道脇に寄せて停めた。ワイパーを止めると、あっという間に窓の上に水膜が張っていった。

「悪いけど、まともに運転ができるようになるまで、少しここで休んでいくよ」

それだけ少女に告げ、僕はシートベルトを外し、シートを倒して目を閉じた。

数分後、隣でシートを倒し、ごそごそと体勢を変える音が聞こえた。僕に背を向けて寝ようとしているのだろう。

暗闇の中じっとしていると、じわじわと後悔の波が押し寄せてきた。取り返しのつかないことをしてしまった、と改めて思った。

あらゆることを悔やんだ。あのときスピードを出したのは間違いだった。飲酒運転などしたのが間違いだった。そもそもあんなタイミングで酒を飲んだのが間違いだった。いや、霧子に会いにいこうとしたこと自体が間違いだった。

僕のような人間は、一人で部屋に閉じこもって鬱々としているべきだったのだ。そうすればせめて他人に迷惑をかけることだけはせずに済んだ。

僕は彼女の人生を台なしにしてしまったのだ。

気を紛らわすため、僕は少女に訊いた。

「なあ、どうして君みたいな高校生が、あんなひと気のない場所を深夜に一人で歩いていたんだ？」

「私の勝手でしょう？」と少女は冷たくいい放った。「あなた、もしかして、事故が起きたのには私にも非があるといいたいんですか？」

「いや、そんなつもりで訊いたんじゃないんだ。ただ……」

「自分の不注意と慢心で人の命を奪っておいてそれはありませんよ、この人殺し」

僕は深く溜息をつき、それから外の雨音に耳を澄ました。横になってみてわかったが、僕の体は疲弊しきっていた。酒が残っていたおかげもあって、徐々に意識は途切れ途切れになっていった。

次に目が覚めたとき、すべてが元通りになっていることを願った。

まどろみの中、僕は少女が啜《すす》り泣く声を聞いた。


僕は深夜のゲームセンターにいた。もちろんそれは夢だ。天井は脂で黄ばみ、床は焦げ跡だらけ、蛍光灯はところどころ点滅しており、三台並んだ自販機のうちの二台には「故障中」と雑な字で書かれた紙が貼ってある。ずらりと並んだ型落ちの筐体はいずれも電源が入っておらず、辺りは静寂に包まれていた。

「女の子を轢いてしまったんだ」と僕はいった。「人を殺すには十分過ぎるくらいの速度が出ていた。雨でブレーキもほとんど効かなかった。僕は人殺しになってしまったらしい」

「なるほど。それで今、どんな気分だ？」

クッションが破れたスツールに座り筐体に肘をついて煙草を吸っていた進藤は、興味津々といった様子で訊いてきた。その無遠慮さが懐かしくて、思わず頬を緩めた。

進藤はそういう奴だった。彼にとって他人のグッドニュースはバッドニュースで、バッドニュースはグッドニュースなのだ。

「それはもう、最悪の気分だよ。これからどんな罰を受けなければならないのか想像するだけで死にたくになる」

「気に病むことはないさ。そもそもお前には失う〈生活〉がないだろう？　もともと死んだような毎日を送っていたじゃないか。何の生き甲斐《がい》もなく、何の目標もなく、何の楽しみもない人生を」

「だからこそ、いよいよ終わりなんだよ。……こんなことなら、僕も進藤の後を追っておけばよかった。知人が自殺した直後だったら、僕も抵抗なく自殺できただろうから」

「やめてくれ、気持ち悪い。それじゃ心中みたいだろう」

「それもそうだ」

静まり返ったゲームセンターに、僕らの笑い声が響いた。

僕らは傷だらけの筐体にコインを投入し、時代遅れのゲームで対戦した。二勝三敗。実力差を考えれば、善戦した方だった。何をやらせても進藤という男は人並み以上の結果を残すのだ。物事の本質を掴むのが異常に早い。

しかし一方で、彼は最後まで、どの分野においても一流にはなれなかった。多分、彼は怖かったのだと思う。何かに打ち込んだ後、ふと〈俺は何をやっていたんだろう？〉と白けてしまうその瞬間を、死ぬほど恐れていたのだ。ゆえに何か一つのことに自分のすべてを捧《ささ》げることができなかった。僕がまさにそうであったように。

そしてだからこそ進藤は、最初からくだらないとわかりきっていることが好きだったのだろう。時代遅れのゲーム、使い道のない楽器、無闇に巨大な真空管ラジオ。彼はそういう不毛さを愛していた。

進藤は椅子から立ち上がり、唯一動いている自販機で缶コーヒーを二本買って戻ってきた。一本を僕に手渡すと、彼はいった。

「なあ、瑞穂に一つ訊きたいんだが」

「何だ？」

「その事故は、本当にどうしようもなく避け難いものだったのか？」

彼の質問の意図がわからなかった。「どういうことだ？」

「俺がいいたいのは、つまり……お前はその悲劇的状況を、無意識のうちに自分で呼んだんじゃないか、ってことさ」

「おいおい、それって要するに、僕がわざと事故を起こしたってことか？」

進藤は答えない。意味深な笑みを浮かべ、ほとんどフィルターだけになった煙草を空き缶の中に放り、次の煙草に火をつける。じっくり考えてみろ、といいたいのだ。

僕は彼の言葉の意味について思案する。でもいくら頭をこねくり回しても、結論らしい結論は出てこない。ただ単純に僕に破滅願望があるというだけの話であれば、彼はこんな問い方はしない。

進藤は僕に何かを気づかせようとしている。

夢らしい脈絡のなさで、気づけばそこはゲームセンターではなくなっていた。僕は遊園地の入口に立っていた。売店や券売所、メリーゴーラウンド、回転ブランコといった遊具の向こうには、大観覧車やペンデュラムライド、ローラーコースターなどが見えた。あちらこちらで遊具の駆動音と共に女性の金切り声が上がっている。園内のスピーカーからは底抜けに明るいビッグバンドの音楽が流れ、アトラクションの傍では古きよきフォトプレイヤーの音色が聞こえた。

僕は一人でそこにきていたわけではなさそうだった。隣にいる誰かが左手をぎゅっと握っていた。夢うつつの僕はそれを不思議に思った。誰かと二人きりで遊園地にきたことなんて、一度もないはずなのに。

瞼《まぶた》の裏側で眩《まぶ》しさを感じた。目を開くと、雨はやみ、夜の紺と朝の橙《だいだい》が地平線近くで混じりあっていた。

「おはようございます、人殺しさん」先に目を覚ましていたらしい少女がいった。

朝焼けに照らされた彼女の目には、泣き腫らした跡があった。

「運転、できそうですか？」

「おそらく」と僕はいった。

運転への怯えは、やはり一時的なものだったらしい。ハンドルを握る手にもアクセルを踏む足にも問題はなさそうだった。それでも慎重に、朝陽で煌めく濡れた道路を時速四十キロほどで走った。

少女に伝えておきたいことがあった。だがどう切り出せばいいのかわからなかった。起きがけの鈍い頭であれこれ考えているうちに、目的の町に着いてしまったようだった。

「そこのバス停でいいです」と少女がいった。「降ろしてください」

停車帯に車を停めた僕は、助手席のドアを開けて出ていこうとする少女を引き止めた。

「なあ、僕にできることはないか？　君のいうことなら何でも聞く。僕に罪滅ぼしをさせてくれ」

返事はなかった。少女は無言で歩道に降り、歩き出した。僕も車を出て走って追いつき、少女の肩を摑んだ。

「本気で悪いことをしたと思ってる。償いたいんだ」

「私の視界から消えてください」と少女はいった。「一刻も早く」

僕は食い下がった。「別に、許してもらおうとは思っていない。君の気持ちをほんの少しでも楽にしたいだけだ」

「どうして私があなたの自己満足のための点数稼ぎにつきあわなければならないんですか？　『君の気持ちを楽にしたい』？　あなたが楽になりたいだけでしょう？」

今の言い方はまずかったな、と僕は後悔した。自分を殺した人間にそんなことをいわれたら、誰だって白々しいと思うに決まっている。

これ以上何をいっても彼女を怒らせてしまう気がした。ここは一度、引き下がる他なさそうだった。

「わかった。君は一人になりたいようだし、ひとまず姿を消すよ」

手帳を取り出して携帯電話の番号を書き込み、そのページを破いて少女に渡した。

「何か僕にやらせたいことがあったら、そこに電話をかけてくれ。いつでも駆けつけるから」

「お断りします」

少女はメモを僕の目の前でばらばらに引き裂いた。細切れになった紙は風に吹かれて飛んでいき、昨日の風雨で街路樹から落ちた黄色い銀杏《いちょう》の葉の中に紛れた。

僕は再び手帳に電話番号を書き、少女の鞄《かばん》のポケットに押し込んだ。それもまた破られて、散り散りに飛んでいった。それでも懲りずに僕は電話番号を書いた紙を彼女に受け取らせようとした。

八回繰り返し、ついに少女が折れた。

「わかりました。わかりましたから、早く消えてください。あなたといると気が滅入るんです」

「ありがとう。真夜中でも早朝でも、どんな些細《ささい》なことでもいいから呼んでくれ」

少女は制服のスカートを翻し、早足で逃げるように去っていった。僕もひとまずアパートに帰ることにした。車に戻り、適当な飲食店に寄って朝食を済ませ、安全運転で帰宅した。

思えば日の高い時間帯に外で過ごすなど久しぶりだった。道路脇には紅色の秋桜《コスモス》が咲き乱れ、風に揺れていた。何匹もの秋茜《あきあかね》が飛び交う青空は、僕の記憶にあるそれよりもずっと青かった。

第3章　点数稼ぎ

こういうとき人は眠りたくても眠れないものだと思っていたのだが、熱めのシャワーを浴びて服を着替えベッドに横になるとすぐに瞼が重くなり、僕は六時間ほど死んだように眠った。

目を覚ますと気分は存外悪くなかった。それどころか、ここ数箇月間眠りから覚めるたびに感じていた重苦しさが消えていた。体を起こして携帯電話を確認したが、着信はないようだ。少女はまだ僕を必要としてはいないらしい。再び仰向けになり、天井を見上げた。

人を轢いた翌日にもかかわらず、なぜこんなにも気分がよいのだろう？　昨晩の重い後悔から一転、今や僕の心情は晴れやかでさえあった。雨樋《あまどい》からぴたぴたと水滴が落ちる音を聴きながらぼんやりと考え込んでいるうちに、僕は一つの結論にいき着いた。

おそらく僕は落ち続ける恐怖から解放されたのだ。怠惰に過ごす日々の中、僕は自分が徐々に腐っていく感覚に苛《さいな》まれていた。どこまで落ちていってしまうのか、どこまで悪くなってしまうのかという不安で一杯だった。ところが昨日の事故で、僕は一飛びに最下層に辿り着いてしまった。

いざ落ちるところまで落ちてみると、そこはある意味では非常に心休まる暗闇だった。何せ、ここではこれ以上落ちる心配がないのだ。際限のない落下の恐怖に比べれば、地に叩きつけられた痛みの方が具体的である分耐えやすい。

僕にはこれ以上失うものがない。裏切られるほどの期待がないから失望もない。そういうわけで僕は気楽だった。飼いならした諦観ほど頼りになるものはない。

ベランダに出て煙草を吸った。五メートル先の電柱にはカラスが数十羽留まっており、数匹が周辺を飛び回りながら喉を詰まらせたような声で鳴いていた。

煙草の先端が一センチほど灰になったところで、隣のベランダから女の声がした。

「こんばんは、ひきこもりくん」

左に目をやると、眼鏡《めがね》をかけたボブカットの女性が寝間着姿で小さく手を振っていた。

隣部屋に住む、美大生の女の子だ。名前は覚えていない。それは彼女と親しくないからではない。内向的な人間にはありがちな話だが、人を名前で覚えるのが苦手なのだ。

「こんばんは、ひきこもりさん」と僕も返した。「今日は早いんですね」

「それ、ちょうだい」と美大生はいった。「今咥《くわ》えてるやつ」

「これですか?」僕は自分の口元の煙草を指差した。

「うん。それ」

　僕はベランダの端から手を伸ばし、吸いかけを手渡した。向こうのベランダは相変わらず観葉植物だらけで、小さな森のようになっていた。左右の端に置かれた小さな脚立はフラワースタンドの役割を果たしており、その中心には赤いガーデンチェアが置かれている。草木はいずれも適切な管理がなされているようで、持ち主には似ず生き生きと育っていた。

「君、昨日は一日中出かけていたみたいだね」煙を肺に溜めたまま、彼女はいった。

「ひきこもりのくせに」

「偉いでしょう?」と僕はいった。「そう……ちょうどあなたに声をかけようと思っていたんですよ。あなた、確か新聞取ってますよね?」

「うん。一面しか読まないけどね。それがどうかしたの?」

「今日の朝刊が読みたいんです」

「そっか。じゃあ、こっちにきなさい」と美大生はいった。「私もちょうど、そろそろ君に声をかけようと思っていたんだ。夜歩きの件で」

玄関を回り、彼女の部屋に入る。中に入れてもらうのはこれで二度目だった。前回は彼女の自棄酒につきあってくれと頼まれて通されたのだが、あれほどごちゃごちゃとした空間に住んでいる人を見るのは生まれて初めてだった。

汚い、とはいわない。それなりに整理はされている。部屋のサイズと持ち物の量が釣りあっていないだけだ。捨てられない性分なのだろう。最低限の家具以外何も置いていない僕とは対極的だ。

果たして、美大生の部屋は相変わらず片付いていなかった。それどころか、以前より物が増えていた。居室はアトリエを兼ねているため、壁際の巨大な棚には画集や写真集といった資料、それに膨大な量のレコードが所狭しと並んでいる。棚の上から天井まではダンボール箱が積み上げられていて、大きな地震があったときの大惨事が予想できた。

壁一面にはフランス映画のポスターと三年前のカレンダーが貼ってあり、一角にはコルクボードがぶら下がっていて、アーティスティックな写真が乱雑に画鋲《がびょう》で留められていた。二つあるテーブルの片方には巨大なコンピュータが置かれ、手前には削りかけの鉛筆や絵筆といった画材道具が散らばっている。もう片方のテーブルは綺麗なもので、木製キャビネットのレコードプレイヤーが一台おいてあるのみだった。

ベランダの椅子に座り、夕陽の明かりの中で朝刊の隅から隅まで目を通したが、やはり僕が起こした事故に関する記事はなかった。美大生も僕の横から紙面を覗《のぞ》き込み、「久しぶりに読んだけど、やっぱりあんまり面白いものじゃないね」と感想を漏らした。

「ありがとうございます」僕は新聞を返した。

「どういたしまして。探していた記事はあった？」

「いえ。ありませんでした」

「そっか。それは残念だったね」

「いえ、逆です。なくて安心しました。あの、テレビも見せてもらっていいですか？」

「君の部屋、テレビすらないの？」と美大生は呆れたようにいった。「まあ、私もめったに見ないから、正直必要ないとは思ってるんだけど」

彼女はベッドの下を探ってリモコンを取り出し、テレビの電源を点けてくれた。

「ローカルニュースはいつ頃始まりますかね？」

「そろそろだと思うよ。でも、ひきこもりのくせにニュースが見たいなんておかしいね。社会に関心が出てきたの？」

「いえ、人を殺したんです」と僕はいった。「そのことがニュースになっていないか、気になって仕方ないんですよ」

彼女は僕を直視したまま目を瞬かせた。「どういうこと？」

「昨晩、女の子を轢いてしまったんです。人を殺すには十分な速度が出ていました」

「ええと……冗談をいっているわけじゃ、ないんだよね？」

「はい」と僕は頷いた。相手が自分と同じ種の人間であるせいか、彼女になら何を話しても大丈夫だという安心感があった。「しかも彼女を轢いたとき、僕はウイスキーで盛大に酔っ払っていました。言い訳の余地は一切ありません」

彼女は手にしていた新聞を一瞥《いちべつ》した。「それが本当だとしたら、ニュースにならないのは、確かにおかしいね。まだ死体が見つかっていないのかな？」

「ちょっとした事情があるんです。おそらくあと九日程度、僕には猶予があります。その間、僕の犯罪は絶対に露見しません。新聞を見て、確信しました」

「んー、よくわからないけれど」彼女は腕組みをしていった。「私とお喋りしている暇があるのかな？　証拠を消すなり、どこかに逃げるなり、今のうちにやっておくべきことがあるんじゃないの？」

「その通りです。僕にはやるべきことがあります。ですが、それは僕一人でどうこうできる問題ではないんです。連絡を待つ必要があります」

「……そっか。色々疑問は残るけど、要するに君は、重犯罪者なんだね？」

「そうです。どう転んでも」

途端に、美大生の表情が明るくなった。僕の肩を両手で摑み、愉快で堪らないといった顔で何度も揺さぶった。

「ねえ、今、私はもうれつに嬉しいよ」と彼女はいった。「とっても元気が出てきた」

「シャーデンフロイデですか」僕は苦笑いした。

「うん。君がどうしようもないクズだと知れて、私は嬉しいんだ」

人の気も知らずに、というよりは人の気を知った上で大笑いする美大生に、僕は少しだけ救われた。変に同情されたり心配されたりするよりは、こういった反応の方がよほど心地よい。何はともあれ、彼女は今の僕に対して快の感情を抱いてくれているのだから。

「ひきこもりくんから人殺しくんに昇格だね」

「降格の間違いじゃないですか？」

「私の中では昇格なの。……ねえ、今日も夜道を歩こう。僅かな猶予を棒に振ろう。いいでしょう？　私は君といると癒されるの」

「ええ、光栄です」

「やった。ねえ、乾杯しない？」彼女は棚の前にある酒瓶を指差した。「君も忘れたいこととか考えたくないこととか、色々あるでしょう？」

「酒は遠慮しておきます。連絡があったら、すぐにでも車を運転しないといけないから」

「そっか。じゃあ、悪いけど、人殺しくんにはお水で我慢してもらおう。ここにはお水とお酒しかないから」

彼女がグラスに氷を落としウイスキーを注いでいく姿を見て、僕はどこか懐かしい気持ちになった。一瞬、自分が絵本や絵画の中にいるような錯覚に襲われた。

「すみません。やっぱり僕も一杯だけいただけますか？」

「初めからそのつもりだよ」彼女は手早くもう一つのグラスにウイスキーを注いだ。

「それじゃあ、乾杯」

「乾杯」

グラスの端と端が触れあい、涼しげな音を立てた。

「私、人殺しとお酒を飲むのは初めてだよ」彼女はレモン汁をグラスの中に垂らしながらいった。

「貴重な機会ですよ。大切にしてください」

「そうする」

彼女はそういって、楽しげに目を細めた。


隣部屋に住む引きこもり気味の美大生と親しくなったのは、僕自身も彼女のように部屋に引きこもるようになってからのことだ。

その日、僕はベッドに寝たきりで音楽を聴いていた。周りの迷惑も省みず大音量で音楽を流し続けていると、ドアが強くノックされた。宗教勧誘だろうか？　新聞勧誘だろうか？　ひとまず無視することにしたが、ノックの音はいつまでもやまなかった。苛立《いらだ》った僕が煽《あお》るようにスピーカーのボリュームを上げると、途端にドアが勢いよく開かれた。鍵をかけるのを忘れていたらしい。

無断で踏み込んできた眼鏡の女の子は、どこか見覚えのある顔をしていた。おそらく隣部屋の住人だ。騒音の文句をいいにきたのだろう。どんな罵声を浴びせられるのかと身構えていると、彼女は僕の枕元のＣＤプレイヤーを止め、中身を取り出し、代わりに別のＣＤをセットして何もいわずに自分の部屋へ戻っていった。

文句があるのは、音量ではなく音楽性の方だったらしい。中身も確かめずに再生ボタンを押してみると、オレンジジュースみたいに爽やかで甘ったるいギターポップが流れてきて、僕は少々がっかりさせられた。どれだけ高尚な音楽を勧めてくれるのかと思ったら、案外悪趣味じゃないか。

美大生との出会いは、そのようなものだった。もっとも、彼女が美大生であると知ったのはそれからしばらく経ってからのことだが。

僕も彼女も、外出を嫌っておきながら、ベランダには頻繁に出る習慣があった。彼女は観葉植物への水遣《みずや》りのため、僕は喫煙のためという違いはあったが、顔をあわせるたび、次第に僕らの距離は狭まっていった。

ベランダの間には視界を遮るものがなかったので、美大生を見かけたときには、馴れ馴れしくない程度に頭を下げた。向こうも僕から挨拶すると、警戒したような目つきをしつつも一応挨拶を返してくれた。

夏も終わりかけた頃のことだ。その日も美大生はベランダに出て観葉植物に水を遣っていた。僕は左側の手摺《てす》りにもたれ、彼女に声をかけた。

「よくそれだけの量の植物を一人で育てられますね」

「別に」と彼女はかろうじて聞き取れる程度の声でいった。「難しいことじゃない」

「一つ、訊いていいですか？」

植物を注視したまま、彼女はいった。「いいよ。答えるかどうかはわからないけど」

「詮索するつもりはないんですけど、あなた、少なくともここ一週間、一度も部屋から出ていませんよね？」

「……だとしたら、何なの？」

「さあ。そうだったら嬉しいな、と思っただけです」

「どうして？」

「僕もそうだから」

僕は足元に落ちていた吸殻を拾い上げ、火をつけて一口吸った。

美大生は目を見開き、ゆっくりと顔を僕の方に向けた。

「そっか。そうだよね。私が部屋から出ていないってわかるのは、君も部屋から出ていないからか」

「ええ。外が怖いんです。夏だからかな」

「どういうこと？」

「太陽の下を歩いていると、二、三日立ち直れないくらい惨めな気分になるんです。いや、後ろめたいというか、情けないというか……」

「ふうん」と美大生はいい、眼鏡のブリッジを中指で押し上げた。「最近、お友達の姿が見えないようだけど、どうしたの？　あの麻薬中毒者みたいな人。ちょっと前までは、ほとんど毎日きてたのに」

進藤のことをいっているのだろう。確かに彼は日によっては目の焦点があっていなかったり終始気味の悪い薄ら笑いを浮かべていたりと麻薬中毒者のようではあったが、彼女が真顔でそういうと妙な面白さがあった。

僕は笑いを堪えながらいった。「進藤のことですね。あいつは、死にました。つい二箇月前のことです」

「死んだ？」

「自殺です。おそらくね。バイクで崖下に落ちて死にました」

「……そっか。悪いこと訊いちゃったね」

美大生は上擦った声で謝った。

「いいんですよ。これは明るい話なんです。一人の男が夢を叶《かな》えたというだけのことなんですから」

「……なるほど。まあ、そういう人もいるのかもしれないね」と彼女は神妙な面持ちでいった。「それで、君は親友が亡くなってしまったから、悲しくて家から出られないの？」

「そんな単純な話ではないんです、といいたいところですけど」僕は頬を掻いた。「案外、その通りなのかもしれません。自分ではよくわからないな」

「かわいそうに」五歳の弟を思いやる七歳の姉のように彼女はいった。「この一箇月で一気に痩せ細ったのも、そのせい？」

「僕、そんなに痩せましたか？」

「うん。人相が変わったといっても過言じゃないね。髪は伸び過ぎてるし、無精髭《ぶしょうひげ》もすごいし、一回り痩せてすっかり目が落ち窪《くぼ》んでる」

当然といえば当然の話だった。アパートから出なくなってからというもの、僕は酒のつまみ以外のものをほとんど口にしていなかった。固形物を口にしない日もたびたびあったほどだ。ふと自分の脚を見ると、歩く機会が減ったこともあってか、寝たきりの患者のような細さになっていた。久しぶりに人と喋ったが、自分の声がこんなに酒焼けしてしまっているとは知らなかった。まるで僕の声ではないみたいだ。

「色も白いし、まるで丸一箇月血を吸っていない吸血鬼みたいだよ」

「後で鏡を見てみます」目元を触りながら僕はそういった。

「誰も映らないかもしれない」

「吸血鬼だったらね」

「そういうこと」

冗談につきあってくれてありがとう、という顔で彼女はいった。

「ところで、あなたはどうなんですか？　なぜ部屋から出られないんです？」

美大生は如雨露《じょうろ》を足元に置き、ベランダの右端から身を乗り出して僕と向きあった。

「その話は、もうちょっと保留しておこう。そんなことよりも、私、ちょっといいことを思いついてしまったよ」彼女は人懐こそうな笑顔を浮かべた。

「それはよかった」と僕はいった。

その晩、彼女の思いつきを実行するべく、僕らは自分たちにできる精一杯の洒落《しゃれ》た服装でアパートを出た。僕はジャケットにワンウォッシュのデニム、美大生はネイビーのコクーンワンピースにシンプルなネックレス、ミュールという格好で、眼鏡もコンタクトに替え、髪も丁寧にまとめていた。夜道を徘徊するには明らかに不適切な格好だ。

それまでも、買い物や銀行への用事などで外出せざるを得ない機会はあった。しかし、そうやって外に引きずり出されるたびに、僕の外界に対する怯えは悪化していた。嫌々受動的に外出するからよけいに外出するのが嫌になるのだ、というのが彼女の考えだった。

「まずは積極的に外に出て、『外は楽しいところだ』と自身に学習させる必要があると思うの」と美大生はいった。「『すべての不適応は過去の誤った学習の成果であり、その学習を消去ないし修正することによって適応が得られる』」

「どこからの引用ですか、それは」

「ハンス・アイゼンクがそんなことをいっていた気がしたんだ。素敵な考え方じゃない？」

「確かに、心の傷がどうとか温かみある触れあいがどうとかいわれるよりは、そういう割り切った考えの方がしっくりきます。でも、服装に凝る理由は何なんですか？　誰に見せるわけでもないのに」

美大生はワンピースの裾を摘《つ》まんでゆらゆらさせながらいった。「気が引き締まるでしょう？　それだけのことだけど、今の私たちには、とても重要なことだと思うんだ」

パーティにでも向かうような格好で、僕らは当てもなく夜の街を散歩した。最近では、日中こそ残暑が厳しいものの、夜になると秋を感じさせる涼やかな風が吹くようになっていた。街灯に群がる虫が減り、代わりに死骸がその下に散らばっていた。死骸をひょいひょいと避《よ》けて、美大生は街灯の下に立った。頭上では巨大な蛾《が》が飛び交っていた。

彼女は僕に問いかけるように、首を傾げた。

「私、綺麗？」

久々に外の空気に触れて、躁《そう》になっているのだろう。誕生日を迎えた子供のようにはしゃいでいた。

「綺麗ですよ」と僕は答えた。

事実、彼女は綺麗だったのだと思う。こういう光景を見て「美しい」という人の気持ちは理解できる。だから綺麗だと答えておいた。

「よかった」

美大生は無邪気に相好を崩した。

死にかけの油蟬が、アスファルトの上で羽を震わせた。

その日は近所の無人駅を終着点とした。住宅街に紛れてひっそりと建つその駅は、ありとあらゆる場所に蜘蛛《くも》の巣が張られていた。

ホームの縁に座って煙草に火をつけ、線路の上をふらふらとした足取りで歩く美大生を眺めていた。線路脇の柵の上には大きな猫がいて、僕らを見張るようにじっとそこに佇《たたず》んでいた。

そのようにして僕らの夜歩きの日々が始まった。以後、毎週水曜の夜に、僕らはめかし込んで出かけるようになった。次第に僕らは日の落ちた時間帯なら一人でも出歩けるくらいに回復した。一見風変わりな彼女のアイディアは、案外効果的だったようだ。

いつの間にか転寝《うたたね》していたらしい。携帯電話の着信音で目を覚ました。慌てて頭を整理する。美大生と酒を飲んで、いつものように夜歩きをして、帰ってシャワーを浴びたところまでは覚えている。おそらくその直後に眠ってしまったのだ。

時計は午後の十一時を指していた。携帯を手に取り、開く。発信は公衆電話からだったが、それが僕の轢いた少女からの電話であることは間違いなかった。

「最後の紙だけは、ちゃんと破らないでいてくれたんだね」

僕は電話口にいった。沈黙が十秒ほど続いたが、それはきっと彼女なりの矜持《きょうじ》の示し方なのだろう。僕に頼っているという感じを極力出したくないのだ。

「この番号にかけてきたというわけは、何か僕に頼みたいことがあるんだろう？」と僕は訊いた。

するといた少女はようやく口を開いた。

『あなたに、点数稼ぎの機会をあげましょう。……昨日のバス停にきてください』

「了解」と僕は即諾した。「今すぐ向かうよ。他には？」

『説明の時間が惜しいです。ひとまずきてください』

シングルのライダースジャケットと財布を掴み、戸締りもせずにアパートを出た。信号が十ほどあったが、いずれも僕が近づくと青に変わってくれた。見積もりよりもずっと早く、目的地に着くことができた。

一日の役目を終えたバス停で、制服姿の少女は一人、臙脂《えんじ》色のマフラーに顎を埋《うず》め、缶のミルクティーを飲んで夜空を見上げていた。つられて空を見ると、大きな月が雲の間から顔を出していた。はっきりと見える影の模様は、餅つきをする兎《うさぎ》というよりは若い頃に太陽を浴びすぎた老人の肌染みのようだった。

「お待たせ」

僕は運転席を降り、反対側に回って助手席のドアを開けた。だが少女はそれを無視し、あえて後部座席に乗り込み、スクールバッグを放り、ドアをかったるそうに閉めた。

「どこへ向かえばいい？」と僕は訊いた。

「あなたの住んでいるところ」少女はブレザーを脱ぎ、ネクタイを緩めながらいった。

「しばらく、そこに泊めてもらうことになると思います」

「それは構わない。ただ、理由を訊いてもいいかな？」

「大したことじゃありません。父を殴ったから、家にいられなくなったんです」

「喧嘩《けんか》でもしたのか？」

「いいえ。私が一方的に殴ったんです。……これを見てください」

そういうと、少女はブラウスの袖を捲った。

細い腕には点々と、黒い痣《あざ》のようなものがあった。仮にそれが火傷《やけど》痕だとしたら、状態からいって、できてから少なくとも一年は経過しているだろう。八箇所の黒点は規則正しく並んでおり、それらが人為的につけられたものであることをうかがわせた。

そういえば、事故の後、説明のために手のひらの傷の〈先送り〉を解除した少女は、〝信じられないなら、もう一つ別の例をお見せしますが〟といって袖を捲った。あのとき見た腕にはこんなものはなかったはずだ。おそらく彼女は、あの時点ではまだこの火傷痕を〈先送り〉にしていたのだろう。そして僕と別れてから再会するまでの間に、何か事情があって、〈先送り〉を解除したのだ。

「昔、父が煙草を押しつけてきたためにできた痕です」と彼女は説明した。「背中にもありますよ。見ます？」

「いや、いい」僕は手を振った。「それで……君は、その仕返しに父親を殴って家を飛び出してきたってわけか？」

「ええ。結束バンドで両手足を縛って、金槌《かなづち》で五十回ほど殴りました」

平然と、少女はいった。

「金槌？」と僕は聞き返した。

「これです」

少女は鞄から両口の玄翁《げんのう》を取り出した。小学校の図工で釘《くぎ》を打つときに使うような小さなものだ。古いものらしく、頭部は錆びており、柄も黒ずんでいた。

動揺する僕を見て、少女は得意気に微笑んだ。

皮肉にも、それは彼女が初めて見せた、年相応の無邪気な笑顔だった。

数ある憑《つ》き物の一つが落ちたような。

「復讐《ふくしゅう》というのはいいものですね。すっきりします。さて、次は誰に復讐しましょうか。どうせもう、私には失うものがありませんから。……そうそう、当然あなたにも手伝ってもらいますよ、人殺しさん」

そういうと、少女は後部座席に横になり、すうすうと小さな寝息を立て始めた。疲労が限界を迎えたのだろう。父親に復讐した後、取るものも取りあえず逃げ出してきたに違いない。

僕は車のスピードを落とし、少女を起こさないよう慎重に運転した。

わざわざ火傷痕の〈先送り〉を解除したのは、報復を正当化するためだろう。そう僕は思った。少女は父親から受けていた暴力から目を逸らすのをやめ、〈なかったこと〉にしていた傷とその原因を受け入れることによって、代わりに復讐の権利を得たのだ。

〝次は誰に復讐しましょうか〟。彼女はそういった。選択の余地があるということは、復讐すべき相手が少なくともあと二人以上いるのだろう。

ずいぶん過酷な人生を送ってきたんだろうな、と僕は思う。

アパートに着くと、一旦ドアを開け放してから車に戻り、少女を抱えて部屋まで運んだ。ローファーとソックスを脱がせてベッドに寝かせ、毛布を被せると、少女はもぞもぞと動いて毛布を口元まで引き上げた。

その後、二、三度鼻を啜る音が聞こえた。

泣いているようだった。

笑ったり泣いたり忙しい子だな、と僕は思った。何を悲しんでいるのだろう？　やはり命の残り少なさを嘆いているのだろうか？　それとも父親を傷つけてしまったことを後悔しているのだろうか？　虐待の過去を思い出しているのだろうか？　思い当たる節はいくらでもあった。

あるいは涙の理由は本人にもわからないのかもしれない。おそらく今、彼女の中には様々な感情が渦巻いているのだ。楽しいはずなのに寂しくて、悲しいはずなのに嬉しいのだろう。

ソファに寝そべり、ぼんやりと天井を眺めて朝を待った。次に彼女が目を覚ましたとき、僕は何をいうべきなのだろう？　何をすべきなのだろう？　そんなことをつらつらと考えていた。

こうして復讐の日々が始まる。

第4章　腰抜けの殺人鬼

少女はコーヒーの匂いで目を覚ましたようだった。厚切りのハニートースト、二等分した半熟卵、出来あいのグリーンサラダがテーブルに並んでいるのを見て、眠たげな顔で席に着き、時間をかけてそれらを食べた。その間、彼女は一度も僕と視線をあわせようとしなかった。

「これからどうするんだ？」と僕は訊いた。

彼女は手のひらの傷痕を僕に示した。

「次は、こちらの傷の報復にいこうと思います」

「その言い方からすると、手のひらの方の傷は、父親につけられたものじゃないのか」

「そうですね。あの人、基本的には暴力に慎重でしたから。服で隠せないような部位は、めったに傷つけられませんでした」

「復讐すべき人間は、父親を除けば、あと何人くらいいるんだ？」

「五人に絞りました。いずれも、私の体に消えない傷痕を作った人間です」

すると、まだ五箇所は〈先送り〉にしている傷痕があるということだろうか。いや、怪我が一人につき一箇所とは限らない。最低でも五箇所、と考えるべきだろう。

そこで僕はある事実に思い当たった。

「ひょっとすると、僕もその復讐相手の五人に含まれているのか？」

「当たり前じゃないですか」と少女は何でもないようにいった。「四人への復讐が終わったら、あなたにも相応の目に遭ってもらいます」

「……まあ、仕方のない話だよな」

そうはいいつつも、僕の顔は引きつっていた。

「でも、安心してください。あなたがどんな目に遭おうと、事故の〈先送り〉――つまり私の死の〈先送り〉――が解除されれば、私によって引き起こされた物事はすべて〈なかったこと〉になってしまいますから」

「その辺りがよくわからないんだけど」僕は前々から疑問に思っていたことを口にした。「たとえば君が父親を金槌で叩きのめしたという事実は、僕が起こした事故の〈先送り〉が解除されれば〈なかったこと〉になるのか？」

「もちろんです。本来私は、復讐を決行する前に、あなたの車に轢かれて死んでいるのですから」

そして少女は、初めて〈先送り〉をしたときのこと、灰毛の猫の話をした。可愛《かわい》がっていた猫の死骸を見つけたこと。その晩もう一度見にいくと、死骸も血痕も跡形もなく消えていたこと。その猫に引っ掻かれて高熱が出たこと。突然病気と傷が治り、相矛盾する記憶が生まれたこと。

「つまり、父親の件に関していえば、君が〈猫〉で、金槌が〈爪〉に当たるというわけか」

「そういう解釈で間違いないと思います」

要するに、これからこの少女がいくら他人に危害を与えたところで、〈先送り〉の効力が切れれば何もかも元通りになってしまうということだ。

「そんな復讐に意味があるんだろうか？」と僕は素朴な疑問を口にした。「どうせ何をしても元通りになってしまうわけだろう？　十日以内……いや、九日以内に」

「たとえば夢の中で、『これは夢だ』と気づいているとき」と少女はいった。「あなたは『ここで何をしようと現実には影響がないから』といって何もしませんか？　むしろ、『どうせ現実に影響がないなら好き勝手やってやろう』とは思いませんか？」

「わからないな。そういう夢を見たことがないから」僕は首を振った。「これは君自身のためを思っていうんだが、君を不幸にした人間が不幸になったところで、君の失われた幸せが戻ってくるわけじゃない。君が抱える怒りや怨《うら》みを軽んじるわけではないけれど、やっぱり復讐なんて無意味だと思うな」

「君自身のためを思って、ですか」少女は一字一字を強調するように繰り返した。

「それでは、復讐以外の何をするのが私自身のためになるというんです？」

「仲のよかった人や世話になった人に挨拶をして回るとか、好きな男の子、あるいは好きだった男の子に告白するとか、色々あるだろう？」

「ありません」鋭い口調で少女がいった。「親しくしていた人も世話をしてくれた人も好きな男の子も好きだった男の子も、いません。あなたのその発言、私にとっては最高級の皮肉です」

　君は怒りで周りが見えなくなっているだけじゃないのか、よく考えたら親しい人の一人くらい見つかるはずだ――そういってやりたかったが、彼女のいうことが百パーセント事実であるという可能性も捨てきれず、言葉を飲み込んだ。

「悪かった。配慮に欠けた発言だったよ」と僕はいった。

「ええ。気をつけてください」

「……それで、次の復讐相手は？」

「姉です」

　父の次は、姉か。とくると、その次は母親だろうか？

「あまり住み心地のいい家ではなかったみたいだね」

よけいなお世話です、と少女はいった。

ドアノブに手をかけるその瞬間まで、自分の病はすっかり治ったものと思い込んでいた。しかしブーツを履いて外に出ようとした瞬間、全身から何かが抜けていくような感覚に襲われ、僕は動きを止めた。事情を知らない人が見たら、ドアノブに電流でも流れていると勘違いしたかもしれない。

僕はその場に立ち尽くした。動悸が激しくなり、圧迫感を伴う痛みが胸に生じた。特に鳩尾《みぞおち》の辺りと手足の関節が痺れ、力が入らなくなった。しばらくそのまま待ってみたが、一向に元に戻る気配はない。例の症状だ、と僕は思った。事故のショックですっかり治ってしまったものと思い込んでいたが、どうやら僕の外に対する恐怖は未だ拭えていなかったらしい。

電池が切れたように停止している僕を見て、少女は「何をふざけているんです？」といって眉をひそめた。傍《はた》から見たら遊んでいるように見えるのだろう。次第に腹の底に石でも詰め込まれたかのような吐き気がこみ上げてきた。冷や汗が脇を流れ落ちた。

「悪いけど、ちょっとだけ時間をくれないか？」

「まさか、体調不良ですか？」

「いや。外が苦手なんだ。半年近く、真夜中にしか外に出ない生活を続けていた」

「一昨日はあんなに遠くにいたのに？」

「ああ。だからこそ、なのかもしれない」

「事故の直後の件といい、あなたの心は酷く軟弱なようですね」と少女は呆れ顔でいった。「何でもいいから、早く治してください。二十分待っても駄目なようでしたら、あなたは置いていきます。私一人でも計画に支障はありませんから」

「わかってる。すぐに治すよ」

　ベッドに腰掛け、そのまま仰向けに倒れた。動悸も痺れも治まらなかった。じっとしていると、シーツからかすかに自分のものでない匂いがした。少女が寝ていたせいだろう。自分の領域が侵された気がした。

　壁一枚分でもいいから一人になりたくて、薄暗いトイレにこもり、便座に腰掛けて両手で顔を覆った。芳香剤臭い空気を大きく吸って息を止め、数秒保持してから吐くことを繰り返した。そうしていると、僅かだが気分が和らいだ。しかし外に出るほどの回復にはまだまだ時間がかかりそうだった。

トイレから出て、僕はクローゼットの抽斗から跳ね上げ式の丸サングラスを取り出した。進藤が冗談で購入した後、ここに置いていったものだ。誰がかけても間抜けなヒッピーのような面になる。

レンズの汚れを拭き取ってから装着し、鏡の前に立った。想像以上の間抜け面が、そこに映っていた。いい具合に肩の力が抜けていくのがわかった。

「何ですか、その悪趣味な眼鏡」と少女がいった。「死ぬほど似あってませんよ」

「そこがいいんだ」といって僕は笑った。そのサングラスをかけていると、自然に笑うことができた。まだ吐き気はあったが、いずれ治るだろう。「待たせたね。さあ、いこう」

ドアを必要以上に勢いよく開け、階段を降りる。煙草の匂いの染みついた軽自動車に乗り込み、キーを回す。少女は道案内のため助手席に座り、膝の上にB5サイズの地図帳を開いた。地図には赤いペンでびっしりと注釈やルートが書き込まれていた。

「その準備のよさを見るに、復讐はずいぶん前から計画されていたらしいね」

少女は地図を凝視したまま、「それだけ考えて生きてきましたから」といった。

朝の道路は混雑していた。車道は通勤車両で溢《あふ》れ、歩道は駅を出たばかりの通学中の高校生で埋め尽くされていた。皆、雨に備え色とりどりの傘を提げている。

赤信号の手前で車を停めると、横断歩道を渡る学生の数人が僕らをちらちらと見てきて居心地が悪かった。彼らの目に、僕はどのように映っているのだろう？　大学に向かうついでに妹を高校まで送ってやる兄にでも見えていればいいのだが。

少女は彼らの視線を避けるようにシートにもたれ、姿勢を低くしていた。

運転席側の窓の外に目を向けると、小さな花屋の店先に、色とりどりの花に囲まれて、カボチャを刳《く》り貫《ぬ》いて作ったジャック・オー・ランタンが四つ飾られていた。いずれも切り取られた頭部から暖色系の花が咲いており、植木鉢の役割を果たしていた。

十月末がハロウィンであることを、今さらのように思い出す。付近の高校ではそろそろ文化祭が行われる時期だ。多くの人にとっては心浮き立つ季節なのだろう。

「ふと思ったんだが」と僕はいった。「君の姉が家にいるという保証はあるのか？　君が父親に大怪我を負わせたことについて、連絡がいっていないはずはない。妹が自分を恨んでいることは重々承知しているだろうし、今頃どこかに避難しているということはないか？」

助手席の少女は億劫《おっくう》そうに答えた。「連絡はいっていないと思います。あの人、家から勘当されていますから。連絡しようにも、電話番号すら知らないはずです」

「なるほど」僕は頷いた。「目的地まで、あとどれくらいだ？」

「三時間くらい」

長いドライブになりそうだった。ラジオはどれも退屈で、グローブボックスには女子高生の好みにあいそうにないＣＤしかなかった。

『……最近の気温の低さにびっくりしている人は私だけじゃないはずです』とラジオのパーソナリティがいった。『今年の寒さは何なんでしょう？　今朝《けさ》、真冬用のコートを着ている人を見かけたんですけど、正直それくらいで丁度いい気候なんですよね。私もどちらかといえば寒がりなので、マフラーとか手袋といった防寒具はもちろん、肌着を二枚重ねしてるんですよ。何それ、と思ったでしょう？　でも、これが意外と……』

通勤渋滞に巻き込まれたところで、僕は少女に煙草を吸っていいかと訊ねた。

「いいですけど、私にも一本ください」と彼女はいった。

止める理由はなかった。殺してしまった相手に健康を説くなど馬鹿げている。

「外から見えないように気をつけて」

そう注意してから、煙草を一本抜き、葉の部分を軽く揉んでから渡した。

高校の制服を着た女の子が車内で煙草を咥える姿は、不自然極まりなかった。少女は不慣れな手つきでシガーソケットを用いて火をつけ、煙を吸った後に大きく咳き込んだ。

「間隔をあけて、小匙《こさじ》一杯程度の煙を飲み込むだけでいいんだ」と僕は助言した。「多分、最初はそっちの方が美味《うま》い」

彼女はいわれた通りの方法に切り替えたが、やはり煙を吸った後で咽《むせ》た。

君には向いていないんじゃないかと忠告しようとも思ったが、懲りずに何度も挑戦する少女の姿を見て、やりたいようにさせることにした。

「答えたくなかったら答えなくていいけれど」と僕は前置きしてからいった。「君の姉は、君に何をしたんだ？」

「答えたくありません」

「そうか」

吸殻を灰皿に捨てた少女は、「一言では説明できないんですよ」といった。「とにかく、彼女は私という人間を回復不能なまでに追い込んだ人物のうちの一人なんです。今はそう覚えておいてください」

「回復不能、というのはどういう意味だろう？」

「人格にどうしようもない欠陥があるんですよ。わかるでしょう？」

「わからない。僕には君が、正常の範疇《はんちゅう》に収まっているように見える」

「さっそく点数稼ぎですか？　機嫌を取ろうとしても無駄ですよ」

「そんなつもりはないよ」

そうはいったものの、その言葉で彼女の気分がよくなればいいという打算があったのは確かだった。

「正常の範疇、といいましたね？　では、逸脱の一例を見せてあげましょう」

少女は学生鞄の中に手を入れた。

取り出したのは、熊のぬいぐるみだった。

赤い軍服と黒の帽子を身に着けた、手触りのよさそうなぬいぐるみだった。

「いい年をして、私はこれが手放せないんです。ときどき触らないと、不安で堪らなくなるんです。……ぞっとするでしょう？」

吐き捨てるようにいった。相当そのことを気に病んでいるらしい。

「〈ライナスの毛布〉だろう？　よくある話だし、別に恥じることはない」と僕はフォローを入れた。「僕の昔の知りあいには、人形に名前をつけて話しかける気味の悪い奴がいたよ。それと比べれば、ただ触るくらい……」

「悪かったですね、気味が悪くて」

少女は僕を睨《にら》みつけ、ぬいぐるみを鞄にしまった。藪蛇《やぶへび》だったな、と後悔したがもう遅い。最も効果的な方法で、彼女の価値観を貶してしまったようだった。しかし、こんな冷めた目をした女の子がぬいぐるみに名前をつけて呼んでいるなど誰に想像できるだろう？

気まずい沈黙が流れた。

『……そこで、本日のお便りのテーマは、「生きていてよかったと思った瞬間」です』とラジオのパーソナリティがいった。『まず、ラジオネーム〈二児の母〉さんから。「八歳と六歳になる娘たちは親の私もびっくりするくらい仲がよいのですが、今年の母の日、二人はなんと、私に隠れて贈り物を……」』

僕がそうするよりも先に、少女はカーオーディオに手を伸ばし、ラジオのボリュームを落とした。

今の僕らには眩しすぎる話題だった。


渋滞を抜け、燃えるように紅葉した峠道を二時間飛ばし、少女の姉が住むという町に入った。ハンバーガーショップで軽食を済ませ、さらに車を走らせること数十分、ついに目的の家に到着した。

小綺麗な家だった。レンガ調の塀の向こうにある手入れの行き届いた庭には四季咲きのバラが咲き乱れており、角に設けられた石畳の上に屋根つきのブランコがあった。外壁は空に溶け込むような青で、二階の三つの窓は白いラウンドトップだった。

幸せそうな家。ここで少女の姉は新婚生活を送っているのだという。

うちの実家とは大違いだな、と僕は思った。

僕がかつて住んでいた家は、決して金がかかっていないわけではなかったが、住人の心の荒廃が伝わってくるようなところだった。外壁は蔦《つた》で覆われ、その下にはとうに使われなくなった三輪車やスケート靴、ベビーカー、ドラム缶などが散乱し、せっかくの広い庭は空き地と見紛《みまご》うほどに雑草が伸びきり、不細工な猫の集会所と化していた。

僕が生まれて間もない頃は、ひょっとすると、それなりに幸せな家庭だったのかもしれない。いずれにせよ、僕が物心つく頃には、両親共に家庭を省みない人間になっていた。たった一人の子供でさえ、彼らにとっては重荷のようだった。なぜこの人たちは家庭を持とうなどと考えたのだろう、といつも疑問に思っていた。母が家を出ていったときは、逆に安心したものだ。そちらの方が彼らにとっては自然な状態なのだろうから。

「いい家だな」と僕はいった。

「あなたは門の外で待機していてください。すぐに車を出せるように準備しておいてください。十中八九、あなたの手助けはいらないと思います」

少女は上着を脱いで僕に預け、アーチを潜って玄関に立ち、壁掛けのベルを鳴らした。

透き通った金属音が、辺りに響いた。

木製のドアがゆっくりと開いた。出てきたのは、二十五歳前後の女だった。

僕は木陰から彼女を観察した。ダークグリーンのプルオーバーニットにグレーのパンツ。チョコレート色に染められた髪はワンカールのパーマがあてられている。目は理知的、ドアを開けて顔を出すまでの一連の仕草も優雅だった。

彼女が少女の姉なのだろうか、と僕は考える。色素の薄い瞳や薄い唇など、顔の造りに似たところはある。だが姉妹にしてはいささか歳が離れすぎているし、何より、彼女が妹の手のひらを刃物で刺すような人とは思えなかった。

会話は聞き取れなかったが、少なくとも口論にはなっていなさそうだった。僕は門に背を預けてポケットの煙草を探ったが、車内においてきてしまったようだった。

それにしても、少女はどのような方法で復讐をするつもりなのだろう？　ここに着く直前、鞄の中身をしきりに確かめていた様子からいって、何か凶器を隠し持っているのは間違いない。父親のことは金槌で殴打したようだが、姉にも同じことをするつもりなのだろうか？　それとも金槌とは別の凶器を用意しているのだろうか？

考えるまでもなかった。疑問はすぐに解消されることになった。

煙草を諦めて再び玄関に目をやったのと、ほぼ同時だった。

少女が、姉に向かって倒れ込んだ。

姉はそれを咄嗟に受け止めようとしたが、支えきれずに一緒に倒れた。そう見えた。

しかし、少女が立ち上がった後も、姉の方は一向に立ち上がる気配がなかった。

そのまま、二度と立ち上がることはなかった。

僕は少女のもとに駆け寄った。

目を疑うような光景だった。

姉の腹部に刺さっているそれは、大きな洋裁鋏だった。

開いた鋏の静刃が、根元まで突き刺さっていた。

よほど上手くやったのだろう。悲鳴さえ上がらなかった。

玄関にじわじわと血が広がり、床の溝に沿って流れていく。

あまりにあっさりと、目的は達成された。

その呆気なさと静けさは、僕にある事件を思い出させた。

小学四年生の頃のことだ。その日の体育の授業は開始後三十分で終わり、残り時間はドッヂボールに充てると担任教諭が告げ、生徒たちは沸いた。半ば恒例と化した流れだった。僕はそれとなく体育館の隅にいき、見学中の生徒に交じって遠巻きに試合を眺めた。

両チームの半数がボールを当てられると、外野の中に暇な連中が出てくる。彼らは試合の行き先などそっちのけで、各々《おのおの》好きなように遊び始めた。一人がマットを敷いていない床の上で華麗な跳び前転をやってのけたのを皮切りに、五、六人の男子生徒が次々とそれを真似《まね》し始めた。ドッヂボールよりはそちらの方が見応えがあったので、ぴょこぴょこ飛び跳ねる彼らを僕は目で追った。

一人が着地に失敗し、頭を打ったようだった。数メートル離れているここまで聞こえるほど大きな音がした。回りの連中が動きを止めた。頭を打った一人はしばらく起き上がらなかった。十秒ほど経つと痛い痛いと頭を押さえて喚《わめ》き始めたが、恥ずかしさを紛らそうとして大袈裟《おおげさ》に騒いでいるだけで、どうやら大事には至らなかったらしい。囲んでいた連中も一瞬頭を掠《かす》めた黒い不安を追い払うように、寝転んでいる彼を指差して笑い、叩いたり蹴飛ばしたりした。

その輪に入らず奇妙な姿勢で横たわっている男子生徒がいたことを最初に発見したのは僕だった。頭を打った生徒の方に注意が向いていたため、特に運動神経の悪かった一人が首の骨を折った瞬間を、誰も見ていなかった。一人、また一人、ぴくりとも動かない男子生徒から発される不穏な空気を感じ取り、手を止めて彼のほうに目をやった。ようやく異変に気づいた教師は男子生徒のもとに駆け寄り、落ち着き過ぎというくらいに落ち着いた態度で、彼に手を触れるな、絶対に動かすなと生徒たちに告げ、全速力で廊下を駆け抜けていった。先生のくせに廊下走ってるよ、と誰かがいったが、応える者はいなかった。

その男子生徒が学校に戻ってくることはなかった。脊髄損傷と聞いても、小学四年生の僕たちは「まあアキレス腱《けん》を切ったようなものだろう」程度の感想しか抱けなかった。しかし担任教諭が事の重大さを伝えるために「一生車椅子で生活しなければならなくなる」(今思うと極めて柔らかい表現だ。そのとき既に男子生徒は全身麻痺で呼吸器に繋がれていたのだから)と彼の状態を説明すると、何人かの女子生徒が泣き始めた。そんなのかわいそう。ちゃんと注意してあげればよかった。つられて何人かが義務感に駆られたように泣き始め、「お見舞いにいこう」「千羽鶴を折ろう」といった声が上がった。善意と打算のいきかう教室は居心地が悪かった。

翌月、担任教諭は彼の死をホームルームにて告げた。

あのとき体育館の傷だらけの床に不恰好な姿勢で横たわっていた男子生徒と、少女の目の前に倒れている女の姿が重なった。

時として命は、風に攫《さら》われるような容易さで失われる。

少女は鋏の指穴を握り、一呼吸おいて、傷口をさらに切り開いた。明確な殺意の表れ。動物めいた呻《うめ》き声が漏れ、横たわった体ががくがくと痙攣する。腹部の大動脈に傷がついたらしく、傷口から血飛沫《ちしぶき》が上がった。それは二メートル離れている僕の足元まで飛んできた。

振り向いた少女の白いブラウスは、どろりとした血で真っ赤に染まっていた。

「……そこまでするなんて、聞いてないな」

やっとのことで、僕はそういった。

平静を装ったつもりだったが、その声はみっともなく震えていた。

「そうですね。でも、殺さないといった覚えもありません」

少女は頬についた血を拭い、その場に腰を下ろした。

僕はサングラスを外し、少女の姉を見下ろした。そのまま人相が変わってしまうのではないかと思えるほど顔を苦悶《くもん》に歪め、喉から笛のような音を立て、ごぼごぼと血の混じった咳をしている。プルオーバーは元の色がわからなくなるくらい赤黒く染まっている。

単なる血の臭いとはまた異なる、生ごみを凝縮したような、あるいは浴槽一杯の吐《と》瀉物《しゃぶつ》のような、独特の悪臭が漂ってきて息が詰まった。内臓そのものの臭いか、消化器官に傷がついた臭いか。とにかく一度嗅いだら二度と忘れられそうにない、強烈な死の匂いだった。

胃がぶるっと震える。吐き気を堪えるために、呼吸を整える。

視界を広げる。玄関は血の海と化していた。これがテレビドラマのワンシーンだったら、過剰演出といわざるを得ないほどの血の量だ。人なんて血の詰まった袋に過ぎないんだな、と僕は思う。気分を悪くするだけだとわかっているのに、割けた腹の付近を食い入るように見つめてしまう。血は想像以上に黒いが、こぼれかけた腸は場違いなくらい明るい色をしていた。シューズボックスの上の花瓶から顔を覗かせているゼラニウムの色に限りなく近い。それらは僕に、早朝の田舎道を走っていると必ず見られる哀れな動物の死骸を想起させた。いくら外見が美しかろうと醜かろうと人間だろうと動物だろうと、一枚皮を剝いでしまえば皆似たようなものだ。

そうだよなあ、と僕は意外なほど冷静な頭で考える。死とは本来、こういうものなのだ。僕が少女にしてしまったことも、たった今目の前で起きた惨劇と何ら変わらない。〈先送り〉のせいでいまだ実感が湧かないが、僕もまた一人の女の子を、布を纏《まと》った肉塊に変えてしまっているのだ。死体はこれ以上に悲惨かもしれない。

足元まで流れてきた血を避けるために一歩下がった後、僕はいった。

「なあ、僕は君を轢いた罪を償うため、君の目的につきあっているんだ。……だが、そのために人を殺す手伝いをするなんて、本末転倒だ。血を血で洗う真似はしたくない」

「嫌ならつきあわなければいいんです。無理強いした覚えはありません」と少女はいった。「それに、〈先送り〉の期間が終わったとき、私の行動はすべて無意味に帰すんです。今の私はどう足搔《あが》こうと、一時的にしか人に死を与えられないんです。だったら、何をしてもいいじゃないですか」

そうなのだ。この少女は既に死んだ人間だ。事故のあった十月二十七日以降に少女がどのような行動をとろうと、本来その期間彼女は存在していない。存在していない少女に人を殺すことはできない。十月二十七日以降の彼女が何人殺したところで、

〈先送り〉が解除されてしまえばノーカウントになる。失格をいい渡された選手がいつまでもコートに残っているようなものだ。どれだけ得点を重ねようと、ゲームが終われば試合経過も何も関係なくただ敗北となる。

それならば彼女のいう通り、〝何をしてもいい〟気もする。いき着くところ、それは害のない自己満足に過ぎないのだ。空想の中の殺人と大差ない。であれば、死ぬ前に一度くらい好きにさせてやってもいいのではないか？　いや、いくら一時的にとはいえ、人を刺せば血が流れるし痛みも生じる以上、やはり殺人は殺人で、それはどこまでいっても許されない行為ではないのか？

だがいつまでもそんなことで思い悩んでいる場合ではない。現状最優先すべきは、一刻も早く死体から離れることだ。ここで議論をしている場合ではない。

「ひとまず、ここから逃げよう。その血を見られたらまずい」

少女は頷いた。僕は上着を脱ぎ、少女の細い肩にかけた。スタンドカラーのナイロンジャケットのジッパーを胸元まで上げると、遠目には彼女が血塗れであることはわからなくなった。それなりに値の張る服だったのだが、〈先送り〉が終わればすべて元通りになるのだから気に病む必要はない。

門から顔を出し、表の通りに人がいないことを確認すると、僕は少女に手招きした。

だが彼女はその場にぺたんと座り込んだまま、動かなかった。

「おい、何を悠長にしてるんだ。急ごう」

僕は少女のもとに駆け戻り、手を摑んで引き起こそうとした。

すると少女は糸の切れた人形のようにその場に崩れた。

「なるほど。つまり、これが〈腰が抜ける〉という状態なんですね」と少女は他人事のようにいった。「これでは先ほどのあなたを笑えません。情けない」

少女は上半身だけを使って体を起こした。腰から下に力が入らないらしく、両手を使ってずるずると地を這う。その姿は海岸に打ち揚げられた人魚のようだった。

平然としているように見えて、実は相当に狼狽《ろうばい》していたらしい。

「すぐには立てそうにないのか？」

「ええ。……どうやら、あなたを連れてきて正解だったようですね。さあ、早く私を車まで運んでください」

腰を抜かして這《は》いつくばっているとは思えない尊大な態度で、少女は両手を差し出した。

しかしその手は、真冬の空の下に裸で放り出された子供みたいに震えていた。

華奢《きゃしゃ》な体を抱き上げた。見た目よりは重かったが、いざとなったら背負って走れる程度の体重だ。体中びっしょりと冷や汗をかいていた。

通りに人がいないことを確認し、少女を助手席に運び込む。再度周囲に人影がないことを確認すると、アクセルを踏み込んだ。

法定速度を遵守して、なるべく人通りの少ない道を選んで走った。ハンドルを握る手は汗で濡れていた。

しきりにバックミラーを気にする僕に、少女は「心配しなくても大丈夫ですよ」といった。

「もしさっきのことで捕まりそうになったとしても、私はそれを〈なかったこと〉にできると思います。そうやって、嫌なことは全部先送りにしてしまえばいいんです」

僕は相槌も打たずに沈黙していた。

「何かいいたそうですね？」と少女がいった。

「……本当に、殺す必要があったのか？」点数稼ぎのことなど忘れて、僕はいった。「君の姉が君に酷いことをしたっていうのはわかる、でも殺すほどの悪人なのか？向こうの手のひらに似たような傷を作るくらいじゃ駄目だったのか？　彼女は君に何をしたんだ？　納得のいく説明をしてくれないか？」

「逆に訊きますけど、正当な理由があれば、あなたは人殺しを許容するんですか？」

少女は畳みかけるようにいった。「たとえば、母と姉の喧嘩を止めようとして包丁で刺された傷で生き甲斐だったピアノが弾けなくなったとか、毎週姉が家に連れてくる連中に度数の強い酒を一気に飲まされて、耐えられずに吐くとスタンガンを何度も押し当てられていたとか、酔っ払った父親に髪を摑まれて煙草の火で焼かれながら『お前は邪魔なんだ、さっさと自殺しろ』と繰り返しいわれていたとか、学校では大勢に押さえつけられて汚水を飲まされたり、遊び半分に繰り返し首を絞め落とされたり、『解剖』と称して髪や衣服を刃物でずたずたにされたり、両足を縛られたまま冬の濁ったプールに突き落とされていたとか……そういう話をすれば、あなたは復讐を少しは肯定してくれるんですか？」

それがこのタイミングで発された言葉でなかったら、信じるのは難しかっただろう。年頃の女の子にありがちな虚言、あるいは極端な誇張だと決めつけていたかもしれない。

しかし彼女の殺人を間近で目撃した僕には、その発言をごく自然に受け入れることができた。

「……前言は撤回するよ。すまない。嫌なことを思い出させてしまったみたいだな」と僕は詫びた。

「別に、私の話だとはいっていません」

「そうだったな。あくまでたとえ話だ」

「そもそも私は、彼らに罰を与えたくて復讐をしているわけではないんです。彼らが私に与えた恐怖は、彼らの存在をこの世から消し去ることでしか拭えません。呪いみたいなものです。それがある限り永遠に安らぎは訪れませんし、心から何かを楽しむことだってできません。私は恐怖を克服するために復讐をするんです。死ぬ前に一度でいいから、彼らのいなくなった世界で安眠してみたいだけなんです」

「わかる気がする」僕は頷いた。「ちなみに君は、父親も殺してきたのか？」

少女は「どうでしょうね」といって首を振り、気を紛らわすようにダッシュボードの煙草を一本抜いて火をつけ、げほげほと咳き込んだ。

彼女は父親に報復する際、金槌を用いたといっていた。あれは打ち所によっては簡単に人を殺すことのできる道具だ。後頭部だったか盆の窪だったか覚えていないが、とにかくその辺りを上手く打てば、非力な女性でも簡単に成人男性を殺害できると聞いたことがある。

「そういえば、腰はもう大丈夫か？」

「……まだ、歩くのは難しそうです」少女は眉根を寄せて煙を吐いた。「予定ではこのまま次の復讐相手のもとへ向かうつもりだったのですが、当の私がこれではどうしようもありません。不本意ですが、アパートに戻りましょう」

僕はふと気づいた。「そういう細々としたことに関しては、〈先送り〉にすることができないのか」

彼女は言葉を慎重に選ぶように目を閉じた。「これが重大な怪我や病気だったら、そうすることもできるでしょう。でも、放っておけば治るような症状を〈先送り〉にするのは、非常に難しいです。それは願いとして弱すぎます。必要なのは〈こんなことがあってたまるか〉という魂の悲鳴なんです」

その説明で僕は納得した。魂の悲鳴、か。

閉め切った車内に充満しているのが血の臭いだということに気づくまで、しばらく時間がかかった。少女に飛んだ返り血の臭いだ。窓を開けて換気をしたが、錆びたギターの弦を腐った魚と一緒に漬け込んだような臭いは、車内に染みついて取れなかった。彼女が切り裂いたのは、腹だ。血のみならず、脂肪やら髄液やら消化液やらの臭いも混じっているのかもしれない。

人の死は、臭う。

「寒いです」と少女がいった。僕は換気を諦めて窓を閉め切り、暖房を入れた。

殺人を間近で目撃した夜にしては星が綺麗過ぎた。

幸い、誰にも見咎《みとが》められずにアパートに戻ることができた。埃だらけの階段を早足で上り、部屋のドアを開けようとしたが、中々鍵が入らない。折悪しく、誰かが階段を上がってくる音がした。

手元を見ると、僕が鍵穴に挿し込もうとしていたのは自動車の鍵の方だった。思わず舌打ちが出る。鍵を持ち替えて施錠を解き、少女を中に押し込んだ。

階段を上がってきたのは、隣の美大生だった。彼女は僕の姿を認めると、軽く手を挙げて挨拶した。

「一人で出かけてたんですか？　珍しいですね」と僕は陽気にいった。

「今の子は？」と彼女が訊いた。

こういう場面で咄嗟に嘘をつくと、その場は凌げても、後にかえって事態が悪い方向に転ぶものだ。素直に答えておくのが正解だろう。

「名前も知らない子ですよ」

そういった後、名前を知らないというだけなら目の前の女の子も同様だと気づく。

いや、多分一度か二度はそれを耳にしたことはあるのだが、記憶からすっぽりと抜け落ちている。

昔から人の名前を覚えるのが苦手なのだ。それを活用する機会が少ないから。

「ふうん」美大生は蔑むように目を細めた。「なるほど。ひきこもりくんは、名前も知らない未成年の女の子を部屋に連れ込むんだ？」

「参りましたね、どう説明したらいいのか――」

「若い女の子の生き血を啜るの？」美大生はそういって口元だけで笑った。

「あの、言い訳を聞いてください」

「どうぞ」

「込み入った事情があるんです。あの子は誰かの助けを必要としているんですが、今のところ、頼れる相手が僕しかいないんですよ」

数秒の沈黙の後、彼女は小声でいった。「それはひょっとして、例の事故の話と関係があるの？」

「ええ。彼女を助けることが、償いになるんです。……おそらくは」

「そっか」と彼女は頷いた。基本的に、物わかりはよいのだ。「なら、これ以上は立ち入らないことにするよ。何か困ったことがあったら、私にいってね。大した助けにはならないだろうけれど」

「ありがとうございます」

「ところで、その汚れはどうしたの？」

美大生の視線は僕の足元に向いていた。色落ちしたジーンズの膝下には、四センチほどの赤黒い染みがあった。彼女の指摘で、僕は初めてそれに気づかされた。

「何の染みだ？　いつの間についたんだろう？」

僕は驚きを素直に表しつつ、その原因には心当たりがないふりをしたが、僕自身にもそれは白々しい反応に感じられた。

「何の染みにせよ、早めに洗った方がいいよ。それじゃあ」

そういって、美大生は自室に戻っていった。

胸を撫で下ろし、僕も自室のドアを開けた。既に明かりがついていた。

脱衣所から少女の声がした。「洗剤はどこにあるんですか？」

返り血を浴びたブラウスを手洗いしているらしく、洗面台に水を溜める音が聞こえた。

「足元に置いてあるはず」僕は彼女に聞こえるよう声を張った。「君、着替えはあるのか？」

「ないです。何か貸してください」

「そこに干してあるものから適当に取ってくれ。それでほぼ全部だ」

洗濯機の蓋《ふた》を開ける音に続いて、浴室の扉を開ける音がした。

少女がシャワーを浴びている間、僕はソファに寝そべり、数時間前の出来事を思い返した。少女が姉に鋏を刺したあの瞬間、腹を刺された女の溺れかけたような咳、血飛沫を浴びて真っ赤に汚れたブラウス、内臓から漏れる臭い、床に広がっていった赤黒い血溜まり、不気味な静寂。

何もかもが脳裏に焼きついていた。背筋が凍る、という表現は少し違う。たとえとしてそれが適切かどうかは知らないが——生まれて初めて他人の情事を目撃したかのような衝撃が、頭の芯を揺らし続けていた。

不思議なのは、その感覚が、必ずしも不快ではなかったということだ。ペキンパーもタランティーノも北野武も敬遠している僕は、もし自分が現実に彼らの映画で描かれているような血生臭い場面に遭遇したら、貧血を起こして倒れかねないと思っていた。

ところが実際はどうだ？　今僕が感じているのは、焦燥や恐怖や自責というよりは、肉食動物の捕食場面や大規模な事故現場などを目撃したときに得られるようなカタルシスだった。

恥ずべきことだと、自分でも思う。アルコール以外に気を鎮める方法を知らなかった。ウイスキーをグラスに注ぎ、同量の水を足して飲む。飲酒している姿はあまり少女に見られたくないので、味わう間もなく早めに飲み干した。その後は何をするでもなく、時計の針の音に耳を澄ましていた。

髪を乾かして戻ってきた少女は、僕が寝間着に使っている伸び切ったグレーのパーカーを着ていた。僕にすら大きかったその服は、彼女が着ると逆に太腿が丁度よく隠れ、ワンピースの役割を果たした。

「服、乾かしておいてください」と少女はいった。「私はもう寝ます」

倒れ込むようにベッドに寝転んだ少女だったが、何かを思い出したようにむくりと起き上がり、鞄から取り出したものを抱きかかえて再び毛布に潜った。例の熊のぬいぐるみだろう。顎の下にそれを抱き寄せ、少女は目を閉じた。

ブラウスを洗濯機から取り出し、ドライヤーの温風を当てて乾かした。コインランドリーの乾燥機を使うという手もあったが、たった一着、それも血染みが完全には落ちきっていない服を持って外を歩くのは気が引けた。明日は少女に服を買い与えた方がいいな、と僕は思った。どうせまた返り血を浴びるようなことになるのだろうから。復讐。僕は少女の気持ちを完全には理解できない。誰かを殺してやりたいと思うほど強烈な怨みを抱いたことがないからだ。僕の人生はとっくに破綻してしまっているが、それは他人のせいではない。僕を駄目にしたのは他でもない僕自身だ。

加えて、子供の頃から「怒る」という感情表現が極端に苦手だった。それは我慢強いというよりは、自身の怒りの表明が他者に与える影響を軽視していたといった方がいいだろう。腹を立てたところでどうにもならないのではないかという諦めが先行してしまい、明らかに怒るべき場面でも自らそれを抑え込んでしまうことが多々あった。その性向は面倒を避ける上では役に立ったものの、長期的に見れば僕という人間の活力を損なう原因になっていたように思う。

一切の躊躇《ちゅうちょ》なく怒りを表現できる人が羨ましかった。そういった意味で、部分的にではあるが、僕は少女にある種の羨望を覚えた。もちろん境遇には同情したし、自分がそういう人生を送らずに済んだことを幸運に思ったが。

ブラウスを乾かし終え、畳んで少女の枕元に置いた。脱衣所に戻って寝間着に着替えたが、目が冴えて眠れそうになかった。ベランダに出て寒さに震えながら、美大生が出てくるのを待った。だがこういう日に限って彼女は姿を見せなかった。そう遠くないところから、救急車のサイレンが聞こえた。

諦めて中に戻ろうとしたとき、ポケットの携帯電話が鈍い音を立てて振動した。少女はベッドで寝ているはずだし、進藤が死んだ今、わざわざ僕に電話をかけてくる人物といったら一人しかいない。

「もしもし？」と僕は応答した。

「今どこにいる？」と美大生がいった。

「さっき会ったばかりじゃないですか。アパートにいますよ。あなたは？」

「もちろん、私もアパートだよ」

ということは、僕たちは隣部屋の人間とわざわざ電話で話しているわけだ。

「でしたら、ベランダに出てきてくださいよ。ちょうど煙草を吸いに出てきていたところです」

「いい。外は寒いから」

「電話代がもったいないとは思わないんですか？」

「私、電話を通して人と話すのが好きなの。落ち着くんだよね。目を閉じて、声だけに集中すればいいから。それに私、電話を通して聞く君の声が好きなんだ」

「声は好きなんですね」

「声が好きなの」

美大生は楽しそうに笑った。

「連れ込んだ女の子とは上手くやった？」

「何か勘違いしているみたいだからいっておきますけど」と僕は念を押した。「僕があの子に好かれることは絶対にないんです。そういう前提があるんですよ」

「からかってみただけだよ。君たちがそういう関係じゃないことくらい、わかってる」

僕は目の前にいない相手に向けて肩を竦めてみせた。

「それで、あなたは僕をからかうためだけに電話をかけたんですか？」

「それもあるけどね。私、今、ちょっと厄介な心境にあるの」

「厄介な心境？」

「人と会いたくないけど、人と話したいの」

「それは厄介ですね」

「こういうときに限って、君は忙しそうだから」

「すみません」僕は壁越しに頭を下げた。「普段は死ぬほど暇なんですけど」

「まあ、こんなタイミングで人恋しくなる私も悪いんだけどね。それにしても……気に入らないなあ」

「どう説明すればいいのかな。何ていうか、今日の君、君らしくないんだよね」それから十数秒ほど考え込むような沈黙があった。「そう、いつもだったら君は、どこにもいけなそうな目をしてるんだよ。焦点がどこにもあっていないっていうか、すべてを見ているようですべてを見ていないような、投げやりな目。だからこそ私は、君の前では肩の力を抜いていられたんだ。でも……さっき廊下で会ったときの君の目は、そんな感じじゃなかった」

「何がです？」

「じゃあ、どんな風だったんですか？」

「教えてあげない」と彼女は焦《じ》らすようにいった。「さっきの子、もう寝てるんでしょう？　あんまりうるさくすると起こしちゃうかもしれないから、これくらいにしておくよ。気が向いたらまた電話するね。おやすみ」

一方的に通話が切られた。

一時間ほどベランダにいたことになる。それでも、室内に戻ったとき、少女はまだ寝ついていなかった。

今夜の彼女は泣いてはいなかった。代わりに、震えていた。ベッドの上で縮こまり、枕と熊のぬいぐるみをきつく抱き締め、不規則な呼吸音を立てていた。それが寒さのせいでないことは明らかだった。

怯えるくらいなら、最初から人殺しなどしなければいいんだ、と僕は思った。だがそういうわけにもいかないのだろう。彼女はいった。〝それだけ考えて生きてきましたから〟と。

復讐がしたい、というだけではない。復讐以外にやることがないのだ。

第5章　少女と洋裁鋏

二十時間ぶりの食事をファミリーレストランでとった。それまで自分が空腹だということを忘れていたが、料理の匂いを嗅いだ途端、俄然《がぜん》食欲が湧いてきた。モーニングのパンケーキセットを二人分注文し、コーヒーを啜りながら僕は訊いた。

「父親、姉ときたら、次の復讐相手は母親か？」

少女はゆっくりと首を横に振った。昨晩よく眠れなかったせいだろう、しきりにあくびをしている。ブラウスの血の染みを隠すため、昨日僕が貸した紺のナイロンジャケットを着ていた。

「いえ。母だけは、私にそこまで辛く当たりませんでした。優しくしてくれたというわけでもありませんけどね。ひとまず、彼女は見逃すことにします」

早朝のレストランの客はまばらだった。多くはスーツ姿の会社員だったが、傍のテーブルでは、深夜からずっと居座っているらしい大学生の男女が突っ伏して寝ていた。二人の間にある灰皿は吸殻で一杯だった。

懐かしい光景だな、と僕は思った。数箇月前までは、僕もよく進藤と深夜のファミリーレストランでああやって貴重な時間を浪費していたものだった。あれだけの時間、僕たちは一体何を話していたのだろう？　今となってはもう思い出せなかった。

「次は、かつての同級生に報復しようと思います」と少女はいった。「昨日よりは、移動が少なくて済みそうです」

「元同級生か。ちなみに性別は？」

「女です」

「そいつもやはり、君に何かしらの傷痕を残したのか？」

少女はすっと立ち上がると、僕の隣の椅子に腰を下ろし、制服のスカートを捲り上げて左の太腿を見せた。次の瞬間、そこには長さ七センチ幅一センチほどの引きつった傷の痕が浮かんできた。サングラスを外して見ると、肌の白さと傷のコントラストが痛々しかった。

「もういい。早く隠してくれ」

僕は周りを気にしてそういった。当人はそんなつもりはないのだろうが、傍目には彼女がただ僕に太腿を見せつけているようにしか映らないだろう。

「どぶに突き落とされたとき、ガラス片で切ったんです」少女は淡々と説明した。「もっとも、私が問題としているのは彼女によって与えられた肉体的苦痛ではなく、精神的苦痛の方です。賢い人でした。人を屈服させるには『恥』を利用するのが一番であることを、よく心得ていました」

なるほど、と僕は感心する。いわれてみると、義務教育時代の虐《いじ》めには、〈いかにして恥をかかせるか〉に着眼点がおかれたものが少なくなかった。彼らは直感的に、それがもっとも効率よく人の心を折る方法だと知っていたのだろう。

人間が一番脆《もろ》くなる瞬間。それは、自分自身に嫌悪感を持ってしまったときだ。恥は、虐める側への怒りより先に、虐められる側の自己嫌悪を誘発する。徹底的に恥をかかされた人間は、自身を守るに値しない存在だと決めつけるようになり、抵抗する気を削《そ》がれてしまうのだ。

「……中学に入学した当初、学校の不良連中は、私に怯えていました」と少女はいった。「その頃私の姉は、柄の悪い大人とのつきあいが多かったんです。同級生は、私に手を出したら姉の方から報復にあうと思っていたんでしょうね。しかし、誤解は長くは続きませんでした。近所に住む同級生の一人が、『あいつは姉から嫌われているらしい、引きずり回され殴られているのを何度か見たことがある』といい触らしてから、状況はひっくり返りました。私に怯えていた不良連中は、それまでの鬱憤を晴らすように、私をいたぶるようになりました」

少女はそれを十年も二十年も昔にあったことのように話す。僕はまるで既に乗り越えた過去について語られているような気分になる。

「それでも進学さえすれば状況は変わるかと思って耐え忍んできましたが、高校は近所の公立にいくことしか許されず、そこには中学の同級生がたくさんいて、結局状況は何一つ変わりませんでした。いえ、むしろ悪化したといってよいでしょう。」

「それで」僕は話を打ち切るように割って入った。そういう話を長々と聞きたいとは思わなかったし、話して楽になる類の過去とも思えなかった。「今回も、殺すんだな？」

「……ええ。当然です」

そういうと、少女は元の席に戻り食事を再開した。

「ちなみに」と彼女はいった。「昨日のあれは、ちょっとびっくりしただけですから」

腰を抜かしてしまったことについていっているのだろう。僕のようなどうしようもない人間の前でわざわざ虚勢を張る必要などないだろうに。

「別に人殺しが怖いわけじゃありません」

拗《す》ねたように少女はいった。あるいは彼女は自分自身に向けて虚勢を張ってみせているのかもしれない、と僕は思った。復讐の先行きに不安を抱き、昨日のあれは事故のようなものなのだと自分に言い聞かせているのだ。

「そういえば、昨日の経験から考えたんだが」と僕はいった。「次も返り血を浴びる可能性があるなら、着替えを用意しておいた方がいいんじゃないか？」

「別にいいです」

「遠慮する必要はない。僕の金で好きな服を買えばいい。その制服の血だって、落ち切っていないだろう？」

「だから、いりません」少女は苛立たしげに首を振った。

「返り血のことだけじゃない。父親と姉に復讐を遂げた今、君への捜索願は既に出ているものと考えた方がいい。それに、ただでさえ平日の昼間に制服で歩いているのは目立つんだ。君の〈先送り〉だって万能ではない。細々とした出来事には対処しにくいんだろう？　トラブルの原因となるものは、できるだけ排除しておきたいんだ」

「……それは、確かにもっともな意見です」ようやく少女が認めた。「では、二、三着買ってきてもらえますか？」

「そういうわけにもいかない。女性の服のことは僕にはよくわからない。悪いけれど、君にもついてきてもらわないと」

「まあ、そうなるんでしょうね」

少女はフォークを皿に載せ、煩わしそうに息を吐いた。

街の石畳のくぼみには水溜りができ、空のくすんだ青と黒い枯れ木のシルエットを映し出していた。歩道には楓《かえで》の濡れ落ち葉が貼りつき、真上から見ると幼稚園児がクレヨンで画用紙に書いた大袈裟な星々のようだ。落ち葉は広場の噴水の中にも溜まっており、波紋が広がる水面下で揺らめいていた。

最寄りのデパートに入り、服を好きに選ぶようにいった。彼女は気の進まない足取りで歩き、テナントの前をうろうろしていた。散々悩んだ後、意を決したように若者向けのショップに足を踏み入れたが、そこからがまた長かった。

店内を五周ばかりした後、落ち着いたブルーの上着とキャラメルブラウンのスカートを手に取り、少女はいった。

「これ、変じゃないですか？」

「似あうと思うけれど」と僕は率直な感想をいった。

少女は僕の目を覗き込んだ。

「嘘ですね。私のいうことは何でも肯定するつもりでしょう？」

「嘘じゃないよ。そもそも服なんて、他人が不愉快にならない範囲で好きなものを着ればいいんだ」

「役立たずさんですね」と少女はいった。不名誉な渾名《あだな》がまた一つ増える。

鏡の前で服を確かめた後、少女は衣服を元の場所に戻し、再び店内をうろつき始めた。

娼婦一歩手前の格好をした脚の長い女性店員が近づいてきて、「妹さんですか？」と満面の笑みで訊いた。険悪な様子を見て兄妹と勘違いしたのだろう。

正直に答える義理もないので、「そうです」と答えておいた。

「買い物につきあってあげるなんて、優しいお兄さんなんですね」

「向こうはそうは思っていないみたいです」

「大丈夫ですよ。あと何年かしたら、妹さんもお兄さんのありがたみに気づくはずです。私もそうでしたから」

「だといいんですけど」僕は苦々しい笑みを作ってみせた。「それはそうと、よかったら、あの子が服を選ぶのを手伝ってもらえませんか？　ずっと迷っているみたいなんです」

「お任せください」

しかし店員が近づいてくるのを察した少女は逃げるように店を出ていってしまった。

早歩きで追いついた僕に、少女は疲れ切ったような声でいった。

「服はもういいです。いりません」

「そうか」

理由は追求しないでおいた。というより、訊かなくても大体予想できた。

この子の家のことだ。これまで、自分で好きに服を買う機会など与えてもらえなかったのだろう。初めての種類の経験を前に萎縮してしまっているのだ。

「細々としたものを買ってきます。あなたはついてこないでください」

「わかった。お金はどれくらい必要になる？」

「手持ちで十分足ります。車で待っていてください。そう時間はかからないと思いますので」

少女が立ち去ると、僕はショップに戻った。「さっきの子に似あいそうな服、適当に見繕ってもらえますか？」と先ほどの店員にいうと、手際よく数着選んでくれた。すぐ必要になるかもしれないので値札はその場で処分してもらった。念のため、別の店に寄り、少女が着ているものと似たデザインのブラウスも買っておいた。彼女にとっては私服より制服の方が気楽なのかもしれないと思ったのだ。

地下駐車場に降りて車に戻り、買い物袋を後部座席に放り込み、シートに寝そべって口笛を吹きながら少女を待った。そうしていると、まるで自分が周りと変わらない、ただの買い物客のように思えた——人殺しの準備をしにきたのではなく。

〈先送り〉の有効期限が切れた後のことを考えた。少女が死に、復讐はすべて無意味に帰し、代わりに僕が彼女を轢き殺したという事実が復活する。当然、僕は危険運転致死傷罪で捕まることになる。それ以降のことは詳しくは知らないが、いわゆる交通刑務所に入れられるのだろう。刑期は数年から十数年といったところだろうか。

息子が刑務所に入ったとしても、あの父親はこれといった反応を示さないだろうな、と僕は思った。何かの間違いで動き続けている抜け殻のような人間。彼を驚かせるには、飲酒運転で死亡事故を起こすくらいでは足りない。それこそ少女がやっているように、明確な殺意を持って誰かの命を奪いでもしない限り、父の反応を引き出すことはできないだろう。母の方は……「ほら見ろ、あの男と別れ一人で逃げてきた私は正しかった」と自信を深める姿が容易に想像できた。そういう人なのだ。

やれやれ、と僕は嘆息する。自分は一体何をしに生まれてきたのだろう？　生まれてから二十二年間、正しく〈生きている〉という感覚を得たことなど一度としてなかった。これといった目標もなく生き甲斐もなく幸せもなく、死にたくはないからという理由だけで生きてきた。その結果がこれだ。

「……こんなことなら、僕も進藤のように早めに見切りをつけて、自ら命を絶っておくべきだったんだ」

何度目になるかわからないその言葉を、心の内に留《とど》めず実際に口に出した。

世界が生きるに値しない場所だとは、思わない。

しかし僕の人生に限っていえば、それが生きるに値するものだとは思えなかった。

目的地であるアミューズメント施設に到着したのは午後の二時を回った頃だった。ボウリング、ビリヤード、ダーツ、バッティングセンター、アーケードゲーム、メダルゲーム、それといくつかの飲食店からなる複合型の施設だ。目覚まし時計を同時に五百個鳴らしたような騒々しさに、頭がくらくらした。たった数箇月引きこもっただけで、こういった喧騒への耐性をすっかり失ってしまったようだ。

少女の話によると、次の復讐相手は高校を中途退学し、今はこの施設内のイタリアンレストランで働いているらしかった。それにしても、少女は一体どうやってそんな情報を得たのだろう？　方法は検討もつかないが、よほど手間をかけて入念に調べ上げたに違いない。

レストランはガラス張りで、外からでも中の様子がよくわかった。ちょうどいい位置にあったベンチに座り、どの店員が少女の復讐相手なのか目測をつけていると、着替えを終えた少女がやってきた。この時間帯に制服で盛り場をうろついていたら補導されかねないので、僕がそうするようにいったのだ。

「あのショップ店員の見立ては確かだね」と僕は服装を褒めた。ピンドットのワンピースにモスグリーンのカーディガン、シンプルなブーツ。「そういう格好をすると大人びて見える。大学生で通用しそうだ」

賛辞の言葉を無視して少女はいった。「そのサングラス、貸してください」

「これか？」僕は自分の目元を指差した。「いいけど、逆に人目を引くと思うよ」

「構いません。あの人に私の正体が知られさえしなければ、それでいいんです」

胡散《うさん》臭い丸サングラスをかけた少女は僕の隣に腰掛け、レストラン内を食い入るように覗き込んだ。

「いました。あの女です」

少女が指差した人物は——昨日もそうだったが——一見したところでは他人に危害を加えるような人には見えなかった。どこにでもいる、ちょっと綺麗な女の子だ。目と目の距離が少し近すぎる点に目をつむれば、完璧に整っているといってもいい。ダークブラウンに染めた髪は男のように短いが、厚い唇や小さい鼻が醸し出す女性らしさの方が僅かに上回っているお陰でかえって色気がある。動きも声もはきはきとしている。老若男女問わず好かれそうな、快活な女の子。それが彼女の第一印象だった。

　悪い奴が皆、わかりやすく悪い顔をしているというわけではない。

「あの子が、次の復讐の対象というわけだ」

「はい。今日はあの人を殺します」こともなげに少女はいった。

「今日も、出会い頭に鋏で刺すのか？」

　少女は腕組みをして考え込んだ。「いえ、その方法はさすがにここでは目立ち過ぎるので、アルバイトが終わるのを待ちます。裏に従業員用の出入り口がありますので、彼女が退勤する素振りを見せたらそこに先回りしましょう」

「異議なし、だな。今回も僕は物陰で待機か？」

「そうなりますね。あの女が逃げ出そうとしたら、何が何でも捕まえてください」

「わかった」

　いつ女のアルバイトが終わるかわからなかったので、僕たちはそのベンチに張り込んだ。少女は二段重ねのアイスクリームを、僕はフィッシュアンドチップスを頰張り、離れたところから聞こえてくるボウリングのピンが倒れる音に耳を澄ました。若い男女のはしゃぐ声があちこちから聞こえた。白身魚のフライは廃油で揚げたような味がしたし、ポテトは塩気が足りず、僕はそれらをろくに嚙まずにコーラで流し込んだ。

いつの間にか少女はレストランの中ではなく通路脇にあるクレーンゲームを眺めていた。ガラスの向こうには熊と猿の相の子のようなぬいぐるみが積んであった。再び視線を少女に戻すと、ちょうど目があった。

「……あれ、取ってきてください」と少女がいった。「どうせ、まだまだ時間はかかりそうですから」

「僕が見張っているから、君が取ってくればいい」僕は少女に財布を渡した。「女に動きがあったら、すぐに呼ぶから」

「私では一年かかっても取れませんよ。あなたが取ってくるんです」

「いや、僕もクレーンゲームは苦手なんだ。生まれてこの方、景品を取れた試しがない」

「いいからいってください」

少女は財布を突き返し、僕の背中を叩いた。

千円札を両替機で崩し、筐体の前に立った。開口部に近い、比較的落としやすそうなぬいぐるみを見定め、恥を忍んでコインを投入した。せめて隣に少女がいてくれれば格好もつくのにな、と僕は溜息をついた。陰鬱な顔をした男子大学生が平日の昼間にテディベアを相手にがんばるという図は、いかにも悲惨だ。

千五百円をどぶに捨て、通りかかった若い男の店員に位置の修正を頼み、そこから八百円かけてようやくぬいぐるみは穴に落ちた。人生初のクレーンゲームで得た景品だった。ベンチに戻り袋を少女に渡すと、彼女はぶっきらぼうにそれを受け取り、以後、ときおり手触りを確かめるように袋の中に手を突っ込んでいた。

女のアルバイトが終わったのは、午後の六時を過ぎた辺りだった。

少女は立ち上がり、「急ぎましょう」といって早足で店を出た。僕もそれに続いた。月の見えない、復讐にうってつけの夜だった。特に裏口前の駐車場は照明が少なく、わざわざ物陰に潜む必要はなさそうだ。長く賑やかな場所にいたせいか、まだ耳の中に喧騒が残っていて、立ち眩《くら》みを起こしそうになった。秋の夜風が首元から体温を浚う。肌寒さを感じ、脇に抱えていたジャケットを着た。

少女は鞄から先日も用いた洋裁鋏を取り出し牛革のケースから抜いた。手に馴染むように左右非対称に作られた真っ黒なハンドル、暗闇で鈍く光る銀色の刃面は、昨日の一件の記憶が手伝って、人を傷つけるための道具にしか見えなかった。改めてみると、不気味な形だ。左右それぞれの持ち手の穴は、怒りに醜く歪んだ目のようだった。

女は中々姿を現さなかった。ひょっとしたら一歩遅かったのではないかと不安を覚え始めた頃、裏口のドアは開いた。アルバイトの制服を脱ぎトレンチコートとワインレッドのスカートに着替えた彼女は、仕事中に比べると一気に老けて見えた。少女を虐めていたというからには彼女もまだ十七か十八くらいなのだろうが、僕と同じかそれより少し下程度に見えた。

目の前に立ち塞がった少女に、女は怪訝そうな顔をした。

「私のこと、覚えてますか？」と少女が訊いた。

女は少女の顔をまじまじと観察した。

「ええと、ごめん、ここまで出掛かってるんだけどな」女は自身の喉元を指差してそういった。

少女の目つきが険しくなった。その表情が、女の記憶を刺激したようだった。

「ああ、何だ、誰かと思えば……」

女の頬が緩んだ。

そういう笑い方をする人間を、僕は何人か知っていた。他人を叩きのめすのを至上の喜びとしている連中。相手が自分の攻撃に対し反撃してくるかどうかを見抜くのだけは異様に上手く、一方的に殴れると判断した標的は徹底的にいたぶる。そうすることで自尊心を保とうとする奴らの笑い方だ。

女は少女を頭の天辺から足の爪先まで無遠慮に観察した。自分の記憶の中の彼女と現在の彼女に違いがあるか、見定めようとしているのだろう。それによって器用に対応を変えるつもりなのだ。

女の中で、少女の扱いが決まったようだった。

「あんた、まだ生きてたんだ？」と女はいった。

それはどういう意味だろう、と僕は考える。「（あんたが生きててもいいことなんて一つもないのに）まだ生きてたんだ？」なのか、「（あれだけ酷い目に遭わせてやったのに）まだ生きてたんだ？」なのか。

「いいえ。もう死んでます」といって少女は首を振った。「そして、あなたも道連れです」

女に訊き返す時間は与えられなかった。次の瞬間には、洋裁鋏が彼女の太腿に突き立てられていた。

女は金属的な悲鳴を上げ、その場に倒れ込んだ。痛みにもがき喘《あえ》ぐ姿を、少女は蔑むような目で見下ろしていた。キャメルのトレンチコートの裾が血に染まっていく。

しかし、それを見ても僕はもう動じない。今日は心の準備ができているのだ。

助けを呼ぼうとして女は大きく息を吸い込んだが、一語目が発されるより先に少女のローファーが鼻先を蹴り上げていた。顔を抑えて声にならない悲鳴を上げる女の目の前で、少女は爪切りのような形の道具を取り出し、それを刃の上で滑らせ始めた。鑢《やすり》で刃を研いでいるようだった。

片刃につき五回滑らせたところで少女は鑢を捨て、女の髪を摑んで体を起こし、開いた鋏の切っ先を怯えきった色の浮かぶ両目に突きつけた。動刃が左目、静刃が右目の担当だ。女は動きを止めた。

冷える夜だった。冬でもないのに、吐く息が白く染まった。

「何か私にいうことはありますか?」と少女は訊いた。

鼻血塗れの女は助けを請うような言葉を繰り返したが、日本語の体をなしていなかった。

少女は聞き分けのない子供を諭すような口調でいった。

「すみませんでした、でしょう?」

少女は鋏を一旦引いて畳み、刃が目を離れたことに安堵しかけた女の首を思い切り突き刺した。

狙いは喉ではなかった。鋏は頸動脈《けいどうみゃく》を貫いたらしかった。刃を抜いた瞬間、傷口から、噴き出すような勢いで血が溢れた。流れたのではない。溢れたのだ。

女は凄《すさ》まじい勢いで体外に出ていく血を押し留めようとでもするかのように両手を傷口に当てたが、その姿勢のまま、数十秒後、目を開いたまま事切れた。

「……今回も、汚れてしまいました」鮮血に塗れた少女は、僕に振り向いてそういった。「この服、けっこう気に入っていたのに」

「また買えばいいよ」と僕はいった。

青褪《あおざ》めた顔をしていたから多分そうだろうと思ったが、物陰で元の制服に着替えた後わざわざ店内に戻った少女は、レストラン横のトイレに駆け込みしばらく出てこなかった。かすかにえずき声が聞こえた。吐いているのだろう。

躊躇なく人を殺す割に、その後の反応がものすごく正常だよな、と僕は思った。その手のケースブックに載っているようなシリアルキラーと違い、この少女は暴力に対してはっきりと嫌悪感を抱いていた。でなければ殺人後、いちいち嘔吐したり腰を抜かしたりするはずがない。

そんな子を殺人に向かわせるということは、さぞ怨みは強烈なものだったに違いない。

そして僕も僕だ。殺人を目撃した直後だというのに、どうしてここまで平然としていられるのだろう？　殺人鬼と一緒にいて何も感じない僕の方が、殺人鬼よりよほど狂っているのではないだろうか？

まあ、仮にそうだったとして、今さら何が困るというわけでもないのだが。

薄暗い廊下のひび割れだらけのソファに座り、少女を待った。煙草三本分の時間が経過して、ようやく彼女は戻ってきた。足取りは重く、目は真っ赤に充血していた。今日口にしたものはすべて吐き出してしまったのだろう。ただでさえ白い肌は、いよいよ幽霊のように色を失っていた。

「酷い顔だ」

茶化すように僕がいうと、少女は生気のない目でいった。「もとからです」

「そんなことはないよ」と僕は否定した。

本来であれば、僕らは一刻も早くここから逃げ出すべきだった。草叢《くさむら》に隠したとはいえ、あの女の死体が発見されるのは時間の問題だし、少女の鞄には凶器の洋裁鋏と血塗れの服が入っている。僕の服もわかりにくくはあるもののところどころ血で汚れていて、取調べを受けたらお終《しま》いという状況だった。

それなのに、僕の口をついて出たのは、こんな言葉だった。

「なあ、復讐は今日のところはこれくらいにして、気分転換でもしないか？　君も大分疲れているみたいだし」

少女は目を覆い隠すほど長い前髪を手で払い、僕の目を覗き込んだ。

「……たとえば？」

一蹴されるものと思っていたが、予想外に乗り気な返事だった。それくらい、参ってしまっているのだろう。

これはよい〈点数稼ぎ〉になりそうだな、と僕は思った。

「ボウリングをしよう」と僕はいった。

「ボウリング？」少女は店の反対側にあるボウリングのレーンに視線を向け、目を丸くした。「まさか、今ここで、ですか？」

「そう。凶器を所持したまま、殺人現場に居残ってボウリングをするんだ。殺人犯は現場に戻るというけど、まさか現場に残ってボウリングをするとは誰も思わないんじゃないか？」

それは本気でいっているんですか、と彼女は目で訊いてきた。本気だよ、と僕も目で答えた。

「悪くない提案だろう？」

「……そうですね。悪くないです」

僕らの悪趣味が合致した瞬間だった。殺人現場に残って娯楽に興じる。死者への冒《ぼう》瀆《とく》としては上々だ。

受付で手続きを済ませ、これ以上ないくらい酷いデザインのボウリングシューズを借り、レーンに移動する。少女はやはりボウリングというゲームに触れるのは初めてらしく、八ポンド球の重さにさえ驚いていた。

手本を見せる意味で、僕が先攻で投球した。八本以上は倒さないつもりで投げたが、狙い通り、倒れたのは七本丁度だった。初めてのストライクは少女に譲るつもりだった。

振り返り、少女にいった。「君の番だ」

少女は八ポンド球に慎重に指を差し込んでピンを睨み、女の子にしては整ったフォームで投球した。倒れたのは八本。筋は悪くなさそうだった。集中力があるのだろう。第四フレームで彼女は早くもスペアを出し、第七フレームでストライクを出した。

懐かしい感覚だった。一時期、進藤は『ビッグ・リボウスキ』の影響で、馬鹿みたいにボウリング場に通い詰めていた。最終的に、進藤のベストスコアは二百二十点を超えた。僕も隣でそれを眺め、ときどきはつきあいでゲームに混ざった。その都度彼に的確な助言をもらっていたためか、調子がよければ百八十点が出る程度の腕は身についた。何事に対しても情熱が続かない僕にしては、よくやった方だと思う。

少女の対抗心を刺激するために、僕はあえて辛うじて少女が負けるようなスコアを出した。ああいう気難しい子に対しては、わざと負けるよりもそちらの方が効果はあると思ったのだ。

果たして少女は、ゲームを終えても、よい意味で不満そうだった。

「もう一度」と彼女はいった。「もう一度、やりましょう」

三ゲームを終える頃には、青褪めていた少女の表情はいくらか健康的な色を取り戻していた。僕らがいる間、死体は発見されなかったようだった。あるいは僕の知らぬところで、少女が死体の発見を〈先送り〉していたのかもしれない。

いずれにせよ、僕らはその時間を平穏に過ごすことができた。ボウリングを終えると、僕らは殺害した女の働いていたレストランで少し豪華な食事をとった。

その日、アパートには戻らなかった。次の復讐相手のもとまで、車で六時間ほどかかると少女はいった。いっそ新幹線を使ったらどうかと提案したが、「人の多い乗り物は嫌いです」と却下された。公共交通機関を使うくらいなら、狭苦しい軽自動車の硬いシートに座り自分を殺した男と二人きりで半日を過ごす方がまだよいらしい。

少女は同級生を殺したショックから完全には立ち直っていないようだった。昨晩あまり眠れなかったこともあり、アミューズメント施設を出る段になっても足がふらついていた。僕は僕で、この数箇月間寝てばかりの生活を送っていたので、すっかり体力が落ちてしまっており、運転を始めて二十分も経つと瞼が半分より上に開かなくなっていた。

クラクションの音を聞いたとき、僕は初めて自分が意識を失っていたことに気づいた。信号待ちをしている間にうっかり眠ってしまっていたらしい。慌ててアクセルを踏むとエンジンは空転し、僕はもどかしい気持ちでギアをドライブに入れてアクセルを踏み直した。

なぜ起こしてくれなかったのだと責めるような視線を助手席に送ると、少女もつい先刻までの僕同様、俯いて目を閉じていた。緊張が解けて一挙に疲れが圧しかかってきたのか、クラクションの音にも急発進の揺れにも気づかずぐっすりと眠っていた。

二人共にこんな状態で運転を続けるのは危険だ、と僕は思った。どこかに車を停めて休憩したかったが、一昨日の夜のように車中で寝てもあまり疲れはとれないだろう。

いっそのこと、どこかの宿泊施設でしっかりとした睡眠をとった方がよいのではないだろうか。少女は「時間がないんです、休んでいる余裕があると思うんですか？」などと責めてくるかもしれないが、居眠り運転でつまらない事故を起こすよりはましだ。〈先送り〉は自由自在に行えるというわけではないらしい。たとえば少女が熟睡しているときに僕がハンドル操作を誤って大型トラックと正面衝突などしたら、彼女はそれを〈先送り〉できるのだろうか？　走馬灯を見る間もなく、死にたくないと怯える間もなく即死してしまったら、〈こんなことがあってたまるか〉と魂の叫びを上げることもなく、死を〈先送り〉することは不可能になるのではないか？

そしておそらく、少女はその答えを知らないのだろう。説明を聞いた限りでは、本人も自身の能力のすべてを把握しているわけではなさそうだった。

安全を取ることに決めた。国道沿いにあるビジネスホテルに入り、駐車場に少女を置いてフロントにいき空きがあるか訊ねると、ツインが一部屋だけ空いているという答えが返ってきた。好都合だ。ダブルだったら僕が床で寝ることになっていたところだ。

用紙に必要事項を記入する際、そういえば僕は少女の名前も住所も知らなかったな、と思った。今から聞いてくるというわけにもいかないので偽名を使った。〈湯上千鶴《ちづる》〉。

同じアパートで共同生活を送る妹ということにしておくと、後に色々と融通が利くかもしれないと踏んだ。ショップの店員は僕らを兄妹と勘違いしていたし、それほど無理のある嘘でもあるまい。

車に戻る。熟睡している少女を揺り起こし、「次の復讐の前に、ここで一眠りしておこう」というと、文句もいわずについてきた。向こうも、口にこそしないが、硬いシートの上でなく柔らかいベッドの上で休みたいと思っていたのだろう。

自動ドアの前で、振り返って訊く。

「二人一部屋だけど、構わないか？　そこしか空いていなかったんだ」

返事はなかったが、僕はそれを「別に構いません」を意味するものと勝手に解釈した。

ビジネスホテルらしい簡素な内装だった。アイボリーを基調とした部屋で、並んだベッドの間には電話の載った正方形のテーブル、その真上に安っぽい抽象画が掛けてある。並んだベッドの正面にはライティングデスクがあり、ポットやテレビ等がとりあえずという形で置いてあった。

鍵が閉まったことを確認すると、少女は乾いた血のこびりついた洋裁鋏を鞄から出し、ユニットバスの洗面台で洗い始めた。丹念に汚れを取りタオルで水気を拭き取った後、ベッドの縁に腰掛け、鑢をあてて愛おしそうに刃を砥ぐ。彼女の目的の成就には絶対に欠かせない道具。

なぜ鋏なのだろう？　ライティングデスクにあった陶器の灰皿をベッド脇のテーブルに移し、煙草に火をつけて考える。もっとよい凶器はいくらでもありそうなものなのに。ナイフを買う金がなかったから？　凶器に見えないから？　携帯に便利だから？　単に家にあったから？　一番扱いやすそうだったから？　思い入れのある道具だから？

僕は想像する。父親や姉に虐待を受けた夜、真冬にもかかわらず離れの倉庫に閉じ込められた少女は、寒さに震えながら泣きじゃくっている。しかし数分も経つと涙を拭いて立ち上がり、暗闇の中、外から掛けられた鍵を外すために役立ちそうな道具を手探りで探し始める。悲しみを怒りに転化して寂しい勇気に変える方法を彼女は熟知している。泣いたってどうにもならないのだ。誰も助けてはくれないのだ。

工具入れの抽斗を片端から開けていると、不意に少女の指先に痛みが走る。反射的に手を引くが、その後おそるおそるそこに手を伸ばし、彼女の指を刺した〈何か〉を持ち上げ、通気口から差し込む月明かりに照らしてみる。

錆びた洋裁鋏だ。

なぜこんなところに鋏があるのだろう？　スパナやドライバーやペンチが入っているならわかるのだが。似たようなものとして一括《ひとくく》りにされたのだろうか？

リングに指を入れてみる。少し力を込めて、ようやく刃が二股に開く。

血が指を伝い手首まで垂れていることなどおかまいなしに、少女は鋏に見惚れる。

鋭く尖《とが》った切っ先を見つめているうちに、腹の底から勇気が湧いてきていることに気づく。

暗闇に目が慣れ、工具入れの中身の輪郭がわかるようになってくる。改めて、立てつけの悪い抽斗を上から順に探る。目当てのものはすぐに見つかる。鑢を手に取ると、少女は丁寧な手つきで刃の錆を落とし始める。

時間はいくらでもある。

真夜中の倉庫の中に、しゃりしゃりという不吉な音が響く。

少女は誓う。いつかこれで彼らの息の根を止めてやるんだ、と。

すべては僕の空想に過ぎない。だが、俄然あの鋏に興味が湧いてきた。

シャワーを浴びて戻ってきた少女は備えつけの寝間着に着替えていた。ワンピーススタイルの白い簡素な服は、寝間着というよりは白衣や白装束のようだった。

砥ぎ終えた鋏を目の前にかざして刃の状態を確認している少女に、僕は訊いた。

「それ、見せてもらってもいいかな？」

「……どうしてですか？」

もっともな質問だ。興味本位、などといったらすげなく断られそうだった。効果的な言葉を探す。

鋏が革のケースに収められそうになったそのとき、僕はいった。

「綺麗だと、思ったんだ」

回答としてはまずまずだったようだ。少女は警戒した目つきをしつつも鋏を渡してくれた。お気に入りの道具が褒められて嬉しかったのかもしれない。

少女の正面に腰掛け、先ほど彼女がしていたように、それを目の前にかざしてみる。鏡のようにぴかぴかに磨き上げられていると思ったら、案外そうでもなかった。数センチの距離で見ると、刀面には細かい傷が無数にあった。それもそうだ。肝心なのは切っ先が抵抗なく肉を突き破るかどうかで、他の箇所を磨いても刃の強度が落ちるだけだろうから。最低限錆を落としただけだろう――と考えて、鋏が錆びていたのは僕の空想の中の話に過ぎないのだと思い出す。

「よく砥がれている」と僕は独り言をいった。

人は道具を持つと、それを使う自分を想像せずにはいられないらしい。殺傷に特化した鋏を眺めているうちに、僕は突如、〈この鋏で誰かを突き刺してみたい〉という衝動に駆られる。鋭く砥がれた切っ先は、熟しきった果物でも刺すかのように、さぞすんなりと肉に入っていくだろう。

試しに想像してみる。僕はこの鋏で人を刺したい——さて、それでは誰を刺すべきだろうか？

真っ先にその対象の候補に挙がったのは、やはり、隣のベッドに座り落ち着かない様子で自分の手を離れた鋏を見つめている少女だった。

ぬいぐるみと同様、洋裁鋏は彼女にとって精神安定剤の役割を果たしていたようだった。本人もたった今までそれを知らなかったのだろう、いざ鋏を手放してみて、あまりの心細さに動揺しつつも、それを認めたくなくて平気なふりをしている。そんな風に見えた。

武器を失った今、少女は限りなく無力に近い存在だった。彼女をこの場で刺し殺したらどうなるのだろう、と僕は想像する。ボタンを留め切っていない寝間着の隙間からちらちらと覗く形のよい胸の真ん中にこの鋏を突き立てたら。グラスハープのように澄んだ心地よい声を出すあの喉を切り裂いたら。脂肪のほとんどついていないつるりとした腹部を刺して掻き回したら。

鋏を通じて少女の殺意が伝染したようだった。

指穴に人差し指を入れて鋏を回転させる。少女は焦れたように「返してください」といって手を伸ばすが、僕は指先の回転を止めない。嗜虐《しぎゃく》的な空想を楽しむ。あと二回同じことをいわれたら返してやろう——と決める頃には、既に少女の目の色が変わっていた。濁った、といった方がいいかもしれない。

見覚えのある表情だった。復讐相手と対峙《たいじ》したときのそれだった。

硬い衝撃を感じた。視界が白く弾けた。仰向けにベッドに倒れる。眉間に割れるような激痛が走る。顔にかかった灰の臭いで、灰皿で殴られたことを知った。

左手から、鋏が奪われる感覚があった。その刃先が次の瞬間には僕に向けられるのではないかと心配したが、幸いそういうことはなかった。

しばらく痛みに悶えていた。身を起こし、シャツの胸元についた灰を払った。額の状態を確認しようと指先で軽く触れるとどろりとした血がついたが、ここ二日の間に血は飽きるほど見ていたので特に何も感じなかった。手が汚れて不快だという程度だ。鼻に近づけて、錆びた鉄のような匂いを嗅ぐ。床に落ちた灰皿を拾い上げ、テーブルに戻す。

少女は僕に背を向けて自分のベッドに座っていた。

ある種の酔いは、すっかり冷めていた。やれやれ、と僕は自分に呆れる。自分では冷静なつもりでいたが、ここ数日のあれこれで、着実に正気を失ってきているみたいだ。

怒らせてしまったものと思っていた。だが僕が悪ふざけについて謝ろうとして少女の肩を叩くと、彼女は怯えるように身を縮めた。

振り返った彼女の頰を、涙が伝っていた。

どうやら僕が考えているよりもずっと、彼女の心は脆いようだった。

鋏を手にして薄気味の悪い笑みを浮かべる僕と、自分を虐げてきた連中を重ねてしまったのだろう。

僕が反撃してこないのがわかると、少女は俯き、囁いた。

「……そういうこと、二度としないでください」

すまなかった、と僕はいった。

熱いシャワーを浴びると、灰皿で殴られた額がずきずきと痛んだ。髪を洗うと石鹸が傷口に染みた。こういう怪我らしい怪我は久しぶりだ、と思った。最後に怪我をしたのはいつのことだったか。シャワーを止めて記憶を探る。そう、三年前――サイズのあわない靴を履いて一日中歩いていたら親指の爪が剝がれたが――おそらくあれ以来だろう。

それにしても、先ほどの自分の行動には驚いた。もし少女が灰皿で殴ってくれなかったらどうなっていただろう？　どういうわけかあのとき僕の頭には、ごく自然に〈少女を殺そう〉という発想が浮かんだ。それが自分の義務であるようにすら思えた。自分では自分のことを温厚で暴力とは縁遠い人間だと信じていたのだが、単にこれまで表面に出る機会がなかっただけで、本当は人並みかそれ以上の凶暴性を隠し持っていたのかもしれない。

寝間着に着替えて髪を拭いていると、脱ぎ捨てたジーンズのポケットの中で携帯電話が震えた。連絡主を確認するまでもない。バスタブに腰掛け、通話に応じた。

『そろそろ、私からの電話が欲しい頃かと思って』と美大生はいった。

「悔しいですけど、その通りです」と僕はいった。「息が詰まりそうだ」

『ねえねえ、今私は、公衆電話から君にかけてるんだよ』彼女は誇らしげにいった。

『街角の電話ボックスなんだけど、頭上に夏の蜘蛛の巣がたくさん残っててさ、気持ち悪くて仕方ない』

「隣部屋にいるときは携帯電話からかけてくるのに、僕が遠くにいるときは公衆電話からかけてくるんですか」

『一人で夜道を散歩してたら、雨が降ってきたんだ。雨宿りできる場所を探してたら、ここが目に入ったの。今じゃ公衆電話なんて使う機会ないでしょう？　せっかくだし、雨が弱まるまでここでひきこもりくんと話そうと思ったの。でも十円がなかったから、百円入れちゃったんだ。時間一杯つきあってもらうよ。……ところで、君、今〝遠くにいる〟っていったよね？』

「ええ」こんなことを説明する必要はなかったかもしれないな、と思いつつも続ける。「既に車で五時間ほどの距離にいます。ホテルで休んでいるところです」

『ふうん。いよいよ、ひきこもりくんなんて呼べなくなってきたね』不満気に彼女はいった。『例の女の子とは上手くやってる？』

「泣かせてしまいました。灰皿で殴られました。額から血が出てます」

美大生はけらけら笑った。『やらしいことでもしようとしたんでしょう？』

「仮に僕がそういうことをする人間だったとしたら、あなたの方が先に被害に遭うはずなんですけど」

『さあ。君、ああいう陰のある女の子好きそうだから』

他愛のない話を、百円分の時間が経つまで続けた。通話が切れると、髪を乾かし、ユニットバスを出た。泣き虫の殺人鬼は、僕のベッドに背を向けて寝ていた。長く潤いのある黒髪が、白い枕とシーツの上に放射状に広がっている。細い肩が緩やかに上下している。

少女が悪夢を見て飛び起きればいい、と僕は思う。そうしたら、怯えきった彼女に「飲み物でも買ってこようか？」「エアコンが効きすぎていたのかもしれない。少し温度を下げよう」などと気の利いた言葉をかけて、〈点数稼ぎ〉をすることができる。そうして僕の罪はほんの少しだけ軽減される。

テレビをつけたら今日の殺人について報道されているかもしれないと思ったが、それを見たところでどうなるわけでもなかった。僕の血がこびりついた陶器の灰皿を手繰り寄せ、デスクから煙草を取ってオイルライターで着火した。たっぷりと煙を吸い込んだ後、十秒ほど保持してから吐いた。額の傷に触れると焼けるように痛んだが、その痛みは僕がここに存在している証のようで心地よかった。

第6章　いたいのいたいのとんでゆけ

空にかかる巻雲はぼやけた白鳥の羽根のようだった。昨晩の雨で黒く濁った巨大な川にかかるアーチ橋を渡り、黄金色に煌めく稲穂の揺れる水田に沿う小道をいく。幹線道路に合流して数分としないうちに、小さな街が見えてきた。見慣れたチェーンストアが見慣れた順序で並ぶ、判で押したような風景だった。

小ぢんまりとしたベーカリーショップに車を停め、駐車場で大きく伸びをした。秋風が吹き抜け、つんとした匂いが鼻をくすぐる。助手席を降りた少女の黒髪がなびき、左の目尻から真下に伸びる五センチほどの古傷が露わになった。剃刀《かみそり》で切ったような、深く直線的な傷痕だ。彼女はそれを僕の目から隠すように、さりげなく左手で覆い隠した。

本人からは何の説明もなかったが、三人目の復讐相手である男によってつけられた傷であることは疑いようがなかった。手のひらの刺傷、腕や背中の火傷、太腿の裂傷、顔の切傷。全身傷だらけじゃないか、と僕は思った。この少女には身近な人間の暴力性を引き出す何かがあるのではないか、と勘繰ってしまう。いくら家庭内暴力と虐めの両方に晒されていたからといって、この傷の量はさすがに異常だ。

ある形状の石を見ると蹴り飛ばしたくなるように、ある形状の氷柱を見ると根元から折りたくなるように、ある形状の花びらを見ると一枚一枚毟《むし》り取りたくなるように……世の中には、美醜とは関係なく、〈つい壊したくなるもの〉が存在する。この少女もそれなのではないか、と僕は思う。昨晩突如僕の内に生じた攻撃衝動も、それで説明できはしないだろうか。

加害者側の勝手な理屈だ、と僕は首を振る。まるで一番の責任は少女にあるかのような言い草だ。そんなはずはない。彼女がどんな性質の持ち主だろうと、傷つけていいという理由にはならない。

焼き立てのチーズクロワッサン、アップルパイ、トマトサンド、それにコーヒーを買ってテラス席で黙々と食べた。パン屑《くず》が落ちているのか、小鳥が数匹足元をうろついていた。道路を挟んで向かい側にある児童公園では、子供たちがサッカーをしている。青みを失った芝生の上に、中央の大木が長い影を落としていた。

灰色のキャスケットを被った四十代の男がドアを開けて店内から出てきて、僕たちに笑いかけた。短髪で彫の深い顔で、口髭は丁寧に整えられている。胸のバッジには〈オーナー〉とあった。

「コーヒーのお代わりはどうだい？」

お願いしますというと、オーナーはコーヒーサーバーを持ってきて目の前で注いでくれた。

「どこからきたんだ？」と彼が親しげに訊いた。

僕は町の名を告げた。

「そりゃまたずいぶん遠くからきてくれたんだな。……となると、やっぱり、例の仮装行列を見にきたのかな？　いや、むしろ参加する側か？」

「仮装行列？」と僕は訊き返した。「そんなものがあるんですか」

「へえ、知らずにきたのか。運がいいな。どうせなら見物していくといい。壮観だぞ。何百人っていう仮装した人間が、駅前の商店街を練り歩くんだ」

「ああ、ハロウィンのパレードですか」

テラスの隅のアトランティック・ジャイアント——いわゆる巨大カボチャだ——を見て、僕は納得する。

「そうだ。三、四年前に始まったイベントなんだが、年々参加者が増えてる。仮装好きの人間があんなにいるなんて、驚きだよ。皆、普段は表に出さないが、変身願望があるのかもな。いついかなるときも自分でい続けることに飽き飽きしてるんだろう。

グロテスクな格好をする連中が多いのは、自己破壊欲求が強いやつが多いからなのか。……正直俺も一度は出てみたいんだが、あと一歩が踏み出せないんだよな」

心理学にかぶれたようなことをいった後、オーナーは改めて僕らの顔を交互に覗き込み、興味津々の様子で少女に訊いた。「ところで、二人はどういう関係だい？」

あなたが答えてください、とでもいいたげに少女は僕をちらりと見た。

「どういう関係だと思います？　当ててみてください」

彼は口髭を擦って考え込んだ。

「令嬢と従者だな」

面白いたとえだ、と僕は感心した。兄妹や恋人といった予想よりは、遥かに正解に近い。

コーヒーの礼をいって、僕たちは店を後にした。少女の「そこを右です」「しばらく真っ直ぐです」「……今のところを左折でした」という指示に従い、三人目の復讐相手の住むアパートに着く頃には日が沈み始めていた。十七時の夕焼けは、長い歳月を経て退色したフィルムのような色に街を染めていた。

アパートの駐車場は空きがなく、近くに車をおけそうな場所もなかったので、やむなく少し離れた運動公園の駐車場に停めた。川原からアルトサックスのぎこちない練習音が聞こえた。近所の中学校か高校の吹奏楽部員だろう。

「この顔の傷は、中学二年生の冬につけられたものです」

ようやく、少女が傷の話に触れた。

「年に一度だけ行われる、スケートの授業中のことです。どこの中学にも必ず数人はいる素行不良の生徒の内の一人が、バランスを崩したふりをして、故意に私の足を引っかけて転倒させました。彼はその上、倒れた私の顔をスケート靴のブレード部分で蹴りました。本人としては、いつもの軽い嫌がらせのつもりだったのでしょう。しかしスケート靴というのは、手袋の上から指を切断するくらいは容易にできる代物です。スケートリンクは私の血で真っ赤に染まりました」

少女はそこで口を噤《つぐ》んだ。僕は続きを促した。

「初めのうち、その男子生徒は、私が一人で転んで勝手に怪我をしたのだといい張りました。ですが、どう見たって、氷上で転んだだけでできるような傷ではありません。その日の内に彼は自身が犯人であることを認めましたが、結局は事故ということで片づけられました。明らかに彼は私の顔を故意に蹴っていましたし、それを目撃していた生徒も多数いたはずなんですけどね。男子生徒の両親は謝罪にきましたし、申し訳程度の慰謝料はもらえましたが、私の顔に一生物の傷を負わせた彼は、出席停止にすらなりませんでした」

「スケート靴を持ってくれればよかったな」と僕はいった。「彼も二、三十回は〝事故〟に遭わせるべきだった」

「そうですね。……まあ、鋏で十分です」

少女が、一瞬微笑んだ気がした。

「今回は相手が男性なので、あなたには最初から付き添ってもらいます」

「わかった」

少女が洋裁鋏をブラウスの袖の中に隠したのを確認して、車外に出る。築三十年以上は経っているであろうアパートの赤茶けた鉄骨階段を上り、中学卒業後は定職に就かずふらふらしているという男の部屋の前に立つ。

少女の細い指が、インターホンのボタンを押し込んだ。

五秒とせずに足音が近づいてくる。ノブが捻《ひね》られ、ドアがゆっくりと開く。

顔を出した男と、目があう。

空ろな目。血色の悪い顔。伸び過ぎた髪。こけた頰。無精髭。骨ばった体。

誰かに似ているな、と僕は思う。その〝誰か〟が自分自身であることにはすぐに気づく。顔貌が似ているのではない。生気のなさが僕とそっくりなのだ。

「よお、秋月《あきづき》か」

男は少女にいった。酒焼けしたような声だった。秋月、というのが少女の姓であることを、僕はここにきて初めて知る。

男は突然の来客にも動じていない様子だった。少女の顔を見て、その傷痕に目を凝らし、悲しそうな顔をした。

「今ここに秋月がきたということは」と彼はいった。「やっぱり、次に殺されるのは俺なんだな？」

僕と少女は目を見あわせた。

「安心しろ。抵抗する気はない」と男は続けた。「だがその前に、少し秋月に話がある。上がっていけよ。時間はとらないから」

男は返事も聞かずに僕らに背中を向け、多くの疑問を残したまま部屋に戻っていった。

「どうする？」

僕は指示を仰ぐ。少女は予期せぬ事態に困惑しきっているようで、袖の中の鋏に手をかけたまま固まっていた。

最終的に、好奇心の方が勝ったようだった。

「まだ、手は出さなくていいです。話とやらを聞いてみましょう」

殺すのはその後でも遅くはないはずです、と少女はいった。

だが半時間後、彼女はその判断がいかに甘かったかを思い知ることになる。話とやらを聞いてみる？　殺すのはその後でも遅くはない？　危機感が足りな過ぎる。一刻も早く、僕らは男を殺すべきだったのだ。

父親を含めれば、少女はこれまでに三人への復讐を成功させていた。その実績が慢心に繋がり、油断を生んだのだと思う。復讐行為そのものは容易であり、こちらがその気になれば相手は簡単に死んでくれる——いつしか僕らはそんな風に考えるようになっていた。

排水溝から立ち上ってくる臭いの染みついたキッチンを抜け、リビングに通じるドアを開けた。窓から射し込む西陽に目が眩んだ。

六畳部屋の壁際に電子ピアノがあり、男はその椅子に後ろ向きに座っていた。ピアノの隣の簡素なデスクには、古いトランジスタラジオと巨大なコンピュータが並んでいる。反対側の壁にはピグノーズのアンプ、それとヘッドのロゴが削られたペパーミントグリーンのテレキャスターがあった。音楽が好きらしいが、それを仕事にしているわけではなさそうだ。根拠があるわけではないが、音楽で飯を食っている人間、食おうとしている人間というのは身に纏う雰囲気でわかるものなのだ。この男にはそれがない。

「適当に座ってくれ」と男がいった。僕はデスクチェアに、少女はスツールに腰を下ろした。入れ替わるようにして男が立ち上がり、僕らの前に立った。何をする気だろうと身構えていると、男は数歩後退し、ゆっくりと膝を下ろして正座した。

すまなかった。

そういって彼は床に手をつき、頭を下げた。

「ある意味では、俺はほっとしてる」と男がいった。「なあ秋月、信じてもらえないかもしれないが、あの日——秋月に怪我を負わせた日以来、俺はずっと、『いつか復讐されるんじゃないか』と怯えながら生きてきたんだ。スケートリンクから顔を上げた秋月の、血と憎悪に塗れた表情が忘れられなかった。ああ、この子は絶対にいつか俺の元に仕返しにくるぞ、と思った」

男は一瞬顔を上げて少女の顔色を窺った後、再び額を床につけた。

「そして今、こうして秋月は俺の目の前にいる。悪い予感ほど当たる。今から俺は殺されるんだろう。しかし、おかげで明日からは怯えなくて済む。それはそれで悪くない」

少女は冷めた目で、男の後頭部を見下ろしていた。

「話というのは、それだけですか？」

「ああ。それだけだ」男は土下座の姿勢で固まったままいった。

「じゃあ、もう殺されても構いませんね？」

「……いや待て、ちょっと待ってくれ」男は顔を上げて後ずさった。最初の対応からして潔い男だと思っていたのだが、意外と往生際が悪い。「正直にいうと、まだ心の準備ができてないんだ。それに秋月だって知りたいだろう、どうして俺が秋月の来訪を予測できたのか」

「ニュースで容疑者として私の名が報道されていたんでしょう？」と少女は即答した。

「違う。どのメディアでもまだ、秋月の姉、そして藍原《あいはら》が刺し殺されたことしか報道されていない」

藍原、というのはレストランで働いていた女の名前だろう。

「それだけの情報があれば十分でしょう」と少女はいった。「かつてあの教室にいた人間なら、殺された二人の名前を見れば、犯人が私であるとすぐにわかるはずです。

そしてあなたは、もし犯人が想像通りの人物だとしたら、次に狙われるのは自分である可能性が高いと考えた。そうですよね？」

「……まあ、その通りだ」男は視線を泳がせた。

「というわけで、話はお終いです。抵抗する気はないんでしょう？」

「ああ、抵抗はしない。その代わりといってはなんだが、条件がある」

「条件？」と僕はいった。話がややこしくなってきたな、と思う。これ以上この男のペースに流されるのはまずいのではないか？　しかし少女は男の話を遮ろうとはしない。彼の話に興味を示してしまっている。

「殺され方に、注文があるんだ」男は人差し指を立てていった。「今からそれについて話そうと思う。だがその前に、コーヒーを淹《い》れてこよう。……俺は、楽器はいつまでも上達しないんだが、コーヒーだけはやけに上手く淹れられるんだ。妙な話だよ」

　男は立ち上がり、キッチンへ歩いていった。酷い猫背だった。僕も傍目にはそう見えているのかもしれない。

　彼のいう、〝殺され方の注文〟とは一体どういうことだろうか。単純に殺害方法のことをいっているのか、それとももう少し凝ったシチュエーションを想定しているのか。いずれにせよ、こちらにそれを聞き入れる義理はない。だが、ちょっとした頼みを聞くだけで彼が抵抗なく殺されてくれるというなら、そう悪い話でもあるまい、と僕は思った。

湯の沸ける音がした。間もなく、甘く香ばしい匂いが漂ってきた。

「ところで、そのサングラスの兄さんは、秋月の用心棒か？」とキッチンから男が訊いた。

「無駄話をするつもりはありません。早く本題に入ってください」

少女は苛立った口調でそういったが、男は気にせず続けた。

「どんな関係か知らないが、殺人にまでつきあってくれる人がいるっていうのは、幸せなことだ。羨ましいな。そう……子供の頃、『自分が悪いことをしそうになったとき止めてくれるのが本物の友人だ』という話を何度も聞かされたが、俺はそうは思わない。いざとなると友人を捨てて法や倫理の味方に回る、そんな奴の何を信用しろというんだ？　俺は、俺が悪いことをしそうになったとき、何もいわず一緒に悪人になってくれる奴の方がよい友人じゃないかと思う」

男がコーヒーカップを二つ運んできた。一つが少女に、もう一つが僕に手渡される。熱いから気をつけて、と男がいう。両手でカップを受け取った瞬間、側頭部に、強い衝撃を覚える。

なぜか景色が九十度傾いていた。

男に殴られたと気づくまでに、おそらく数分はかかった。それくらい強烈な一撃だった。素手ではなく、何か道具を用いたのだろう。床に伸びている間も耳は聞こえていたが、拾った音を意味のある情報として認識できなかった。目は開いていたが、上手く像を結ぶことができなかった。

意識を取り戻して最初に感じたのは、殴られた部分の痛みではなく、脛《すね》にかかったコーヒーの熱さだった。初め、痛みは痛みとしてではなく、得体の知れない不快感の塊として表れた。遅れて、ようやく側頭部が割れるように痛み出した。左手で痛みの出所を押さえると、ぬるりとした生温かい感触があった。

立ち上がろうとしたが、足がいうことを聞かなかった。最初からこうするつもりだったのだろう、と僕は思った。この男は実に用心深く、僕らが油断を見せる瞬間を待っていたのだ。警戒はしていたつもりだったのだが、カップを渡されるその瞬間は完全に気がそちらに向いていた。自分の迂闊《うかつ》さを呪う。

いつの間にかサングラスが外れている。殴られたときにどこかへ落ちたのだろう。

徐々に目の焦点があってきて、もやもやが像を結び始める。そうして僕は、ようやく今この瞬間何が起きているのかを理解する。

男が、少女に覆いかぶさっていた。彼に刺さっているべき鋏は、二人から遠く離れた場所に落ちていた。両腕を押さえつけられた少女は懸命に抵抗していたが、いかんせん体格が違い過ぎる。

男が目を血走らせていう。「中学のときからさ、秋月のことは狙ってたんだよ。いやあ、まさかこんな形でチャンスが訪れるなんてな。自分からのこのこやってきて、しかもこっちには正当防衛の権利つきだ。鴨《かも》が葱《ねぎ》を背負ってくるってのはこういうことをいうんだろう」

男の右手が少女の両手を頭の上で押さえつける。空いた手で胸倉を掴み、ブラウスのボタンを引き千切る。少女は諦めず力の限り暴れる。男は「騒ぐな」と声を荒げ少女の目の辺りを殴る。二回。三回。四回。

あの男を殺そう、と僕は思う。

しかし意思に反して足はもつれ、再びその場に倒れ込む。引きこもり生活の弊害だな、と僕は思う。せめて半年前ならもう少し体が動いたのだが。物音で男が振り向く。彼は僕からは死角になっていた辺りから何かを拾い上げる。黒光りする特殊警棒。あれで僕を殴ったのだろう。準備のよいことだ。

一瞬の隙を突いて鋏を拾いにいこうとする少女の膝に、警棒が振り下ろされる。鈍い音。短い悲鳴が上がる。少女が動けなくなったことを確認した男は、僕に向かって歩いてくる。立ち上がろうとして床についた僕の右手は、男の踵《かかと》に踏み潰される。中指か薬指のどちらか、あるいは両方から、湿った割箸を圧し折るような音が聞こえる。〈痛い〉の二文字が何百個と頭の中に浮かぶ。それらを一つ一つ処理してからでないと僕は動き出せない。脂汗が滲む。犬のように喘ぐ。

「邪魔すんなよ、いいところなんだから」

その言葉を合図に、男は警棒を握り締め、僕を何度も打つ。頭、首、肩、腕、背中、胸、脇腹、あらゆる箇所が狙われる。一撃ごとに骨が軋《きし》み、抵抗する気力が奪われていく。

次第に、僕は自身の痛みを客観的に捉えることが可能になっていった。僕が痛みを感じているのではなく、僕が〈僕の体が感じている痛み〉を感じているのだとワンクッション置いて知覚することで、その痛みは他人事となった。

男は警棒を折り畳んでベルトに挟み、這いつくばる僕の手を踏みつけたままゆっくりとしゃがみ込んだ。僕を殴るのに飽きた、というわけではなさそうだ。

小指の付け根が、硬く鋭いもので挟まれる感触があった。

その感触の意味を理解した瞬間、冷や汗が滝のように流れた。

「よく砥がれた鋏だな」と男がいった。

彼は内臓に火がついたかのように興奮していた。自分で振るった暴力に酔い、歯止めが利かなくなっているようだ。こういう状態に陥った人間は躊躇というものを知らない。おまけに男は今、ある程度の暴力行為は正当防衛として認められるという立場にある。いざとなれば、彼はその権利を拡大解釈するだろう。

「これで俺を刺すつもりだったのか？」

男が息を荒くしていう。鋏を握る手に力が入る。小指の肉に、歯が食い込む。表皮が切れる痛みが次の痛みを想像させる。手から分離した小指が芋虫のようにぽとりと床に落ちる光景が目の裏に浮かぶ。高所から落下するときのように、下半身の力が抜ける。僕は怯えている。

「殺人犯の指の一本や二本切り落としたところで、誰も気にしないよな？」

案外そうかもしれないな、と僕は思う。

直後、男は鋏を握る手に渾身《こんしん》の力を込めた。

めしり、という音が聞こえた。激痛が脳を駆け抜けた。脳からコールタールのような真っ黒な粘液が溢れ出して全身を満たした気がした。叫んだ。死に物狂いで抜け出そうとしたが、男の足は万力のように固定されて動かなかった。視界の半分ほどが黒い粒で埋め尽くされて薄暗くなった。思考の流れが停止した。

千切れた、と思った。だが小指はまだ僕の手を離れていなかった。肉は裂け傷口から骨が覗き赤黒い血がぼたぼた流れ出していたが、洋裁鋏の刃は骨を切断するには至らなかった。「さすがに鋏じゃ骨は無理か？」男が舌打ちする。少女は刃の切っ先こそ丹念に砥いでいたが、切刃はそれほど手入れしていなかったのかもしれない。

再び鋏に力がこもる。小指の第二間接が切り裂かれた。骨に刃が食い込むのがわかった。痛みで脳が痺れる。だが今度のそれは未知の痛みではない。思考は停止しない。歯を食いしばって耐えつつ、僕はポケットから車の鍵を取り出し、先端が拳から突き出るように握り込む。男は僕の利き手を封じたと思っている。左利きであることを知らない。

踏まれている自分の右手まで貫く勢いで、男の足に鍵を突き刺した。自分でも驚くほどの力が入った。男は獣のような叫びを上げて飛び退《の》いた。男がホルスターの警棒に手をかけるよりも先に、足首を掬《すく》い上げるようにして体勢を崩す。倒れた拍子に男が後頭部を強打した。これで少なくとも三秒以内の反撃はない。さあ、こちらの番だ。

大きく息を吸い込む。僕は想像力を一時的にシャットアウトする。大切なのは一切の躊躇《ためら》いを捨てることだ。これから数分間、僕は相手の痛みを想像しない。相手の苦しみを想像しない。相手の怒りを想像しない。

男に馬乗りになり、前歯をすべて折る勢いで殴る。殴り続ける。肉を挟んで骨がぶつかりあう音が部屋に一定のリズムで響く。側頭部や小指の激痛が僕の怒りを過熱させる。男の血で拳が濡れる。段々と殴る手の感覚がなくなってくる。だからどうした？　とにかく殴り続ける。大切なのは躊躇しないこと、大切なのは躊躇しないこと、大切なのは躊躇しないこと、

いつの間にか男が抵抗しなくなっている。僕の息はすっかり上がっている。男の上から降り、傍にあった洋裁鋏を拾い上げようとしたが、きつく握り続けた左手は麻痺して動かなかった。仕方なく右手で拾い上げようと前屈《まえかが》みになるが、指先が震えて上手く握れない。もたついている内に男が立ち上がり、背後から蹴倒され、鋏を取りこぼした。

向き直った瞬間に飛んできた警棒は奇跡的に躱《かわ》せた。しかし体勢を崩した僕は次の攻撃に対して完全に無防備になった。男の放った蹴りが僕の腹にめり込んだ。呼吸を忘れて悶絶し唾液を垂れ流しつつも、確実に数秒以内にくるであろう警棒の一撃に備

えようとして僕が顔を上げたのとほぼ同時に、室内の時が止まった。

そう感じた。

数拍おいて、男が崩れ落ちた。

血に塗れた鋏を持った少女が、空ろな目で彼を見下ろしていた。

少女から逃れようとしてか、あるいは僕に助けを求めてか、男は必死の形相で僕のもとへ這いずってきた。少女はそれを追おうとしたが、警棒で殴られた膝が痛んだのか、小さく呻いて転倒した。だがすぐに顔を上げ、両腕で這いずり、何とか男に追いついた。

少女は両手で鋏を握り、渾身の力を込めて男の背中に突き刺した。

何度も。何度も。


壁の薄いアパートであれだけの物音を立てたのだ。いつ警察がきてもおかしくなかった。それなのに僕も少女も、男の死体の横に寝転んだまま動けなかった。

痛みや疲れは問題ではなかった。僕たちをそうさせていたのは、〈戦いに勝利した〉という、極めて原始的な達成感だった。怪我も疲労も、その達成感の前では引き立て役にしかならなかった。

　こんな充実感はいつ以来だろう？　僕は記憶を遡ってみた。しかし、今のこれに勝る充実感を得た経験は、記憶の隅々まで探しても見つからなかった。野球部時代に準決勝で完璧な投球をしてみせたときの充実感も、今僕が感じているものに比べれば塵《ちり》みたいなものだった。

　白ける要素は一切なかった。生きている、という感じがした。

「どうして〈先送り〉しなかったんだ？」と僕は訊ねた。「不都合な展開になったとき、君はすぐにそれを〈先送り〉するものだと思っていたが」

「上手く絶望できなかったから、です」と少女は答えた。「私一人で襲われていたとしたら、〈先送り〉は発動していたでしょうね。でも、あなたがいるせいで、『まだどうにかなるのではないか』という希望が捨て切れなかったんです」

「まあ、事実、どうにかなったからな」

「……指、大丈夫ですか？」

　少女は辛うじて聞き取れる程度の声でそういった。自分の鋏によって僕の小指が傷つけられたことに、多少なりとも責任を感じているのかもしれない。

「大丈夫」僕は笑ってみせた。「君がこれまで負った傷に比べれば、掠り傷のようなものだよ」

そうはいってみたが、本音をいえば、今にも激痛で倒れそうだった。改めて男に切断されそうになった小指を見たら、立ち眩みを起こしそうになった。鋏でずたずたにされたそれは、もはや「指みたいな何か」になっていた。

さて、と僕は軋む体に鞭《むち》打って立ち上がる。いつまでもこうしているわけにはいかない。いい加減逃げねばなるまい。サングラスを拾い上げ、怪我をした側頭部に気をつけながらかけた。

膝を痛めている少女に肩を貸し、アパートを出た。外は薄暗く、かなり冷えていた。血生臭い部屋との対比で、外気は雪山のように澄んだ匂いに感じられた。

幸い、駐車場に着くまでは誰ともすれ違わなかった。帰ったらシャワーを浴びた後に傷の手当てをしてぐっすり眠ろう、そう考えながらポケットから車の鍵を取り出し、シリンダーに挿した。だが、鍵は途中で止まり、最後まで挿さらなかった。

原因はすぐにわかった。男の足に突き刺したとき、骨にぶつかって鍵が歪んでしまったのだ。力ずくで押し込んだり、歪みを直そうと車止めの上で踏みつけたりしたが、効果はなかった。

僕も少女も、服は血だらけで顔には目立つ痣や擦り傷があった。僕の指からは未だに血が滴っていたし、少女の黒タイツはあちこちが伝線していた。不幸中の幸いは、財布と携帯電話だけは上着の内ポケットにしまっていたこと。しかしこんな格好でタクシーを呼ぶわけにはいかない。着替えはトランクの中だ。

悪態をつき、車を蹴飛ばす。痛みと寒さで靄がかかっている頭で考える。何より先に、この目立ち過ぎる格好をどうにかしなければならない。痣や傷は今すぐ治すというわけにはいかないが、せめて服だけでも変えられないものか。だが店で服を買おうにも、全身血だらけ痣だらけの人間が二人も来店したら通報されるに決まっている。服のせいで服が買えない。民家から洗濯物を盗むか？　いや、こんな格好で住宅街をうろつくのはリスクが高すぎる――

遠くから、音楽が聞こえてくることに気づいた。

おどろおどろしく、しかしどこか間の抜けた陽気な歌。

ベーカリーショップのオーナーの言葉を思い出す。

『何百人っていう仮装した人間が、駅前の商店街を練り歩くんだ』

今日はハロウィンのパレードなのだ。

少女の顔に手を伸ばす。小指から流れ出る血を彼女の頰に擦りつけ、真っ赤な曲線を描く。少女は僕の目的をすぐに察する。自らブラウスの袖を引き裂き、鋏を使って肩やスカートの裾を乱雑に切る。僕も自分のシャツの襟やジーンズに鋏で切れ目を入れて引き裂く。

僕らは二体のリビングデッドと化す。

互いの格好を確認する。狙い通りだった。過剰な破壊を加えたおかげで、痣や血までもが安っぽい特殊メイクにしか見えなくなった。

こうなると、肝心なのは表情だ。

「いいか？　人前に出たら、〈自分たちの格好がおかしくて仕方がない〉という顔をするんだ」

僕はそういって笑顔を作ってみせた。

「……こんな感じ、でしょうか？」

少女は口の端を上げ、抑え気味に微笑んだ。

僕の反応が若干遅れたのは、一瞬、本気で彼女に笑いかけられたように錯覚したからだ。

「ああ、完璧だ」と僕はいった。

表通りに抜ける路地を進む。次第に、音楽がはっきりと聞こえてくるようになる。通りに近づくほど喧騒は際限なく増し、音楽は腹に響くほど大きくなる。誘導員がメガホンで叫ぶ声があちこちから聞こえる。甘い菓子を焼く匂いが漂ってきた。

路地を出て真っ先に目に飛び込んできたのは、青白い顔をした背の高い男だった。血の気のない顔と対照的に、彼の口元は真っ赤だった。頬の肉が削げ落ち、歯茎が剝き出しになっていた。真っ黒な眼窩《がんか》に埋まった目が、縮れ毛の間からぎょろりとこちらを睨んだ。

よくできた仮装だな、と僕は思った。歯茎男も僕らを見て同じことを思ったようだ。にやりと僕らに微笑みかけると、大きく口を開けた。ペンで頬に緻密に描かれた歯茎や歯が歪み、それが絵だということが丸わかりになった。僕も彼に笑い返した。

一気に自信がついた。僕らは商店街を堂々と歩き始めた。大勢の人々が僕らに遠慮のない視線を送ったが、それは出来のよい仮装に向けられる好奇の眼差《まなざ》しでしかなかった。ちらほらと感嘆や賞賛の声が聞こえてくる。すごいリアリティだ、と彼らはいう。当然だ。何せ本物の傷、本物の痣、本物の血なのだから。少女は痛めた足を引きずっているが、それもまた彼らの目には演技として映る。

仮装行列が車道を行進していた。歩道は見物客で溢れ、数メートル進むのにも一苦労であり、パレードの様子は一部しか見えなかった。そのとき確認できた二十人ほどの集団は、ホラー映画にまつわる仮装集団だった。ドラキュラ、ジャック・ザ・リッパー、ブギーマン、フランケン・シュタイン、ジェイソン、ペニーワイズ、スウィーニー・トッド、シザーハンズ、『シャイニング』の双子……古い怪物から新しい怪物まで勢揃いしていた。メイクのせいで正確なところはわからないが、ほとんどが二十代から三十代というところだろう。本物と見紛うほどの出来の仮装もあれば、原作を馬鹿にしているとしか思えない仮装もあった。

道端にはジャック・オー・ランタンが等間隔でどこまでも続き、目や口の穴からキャンドルの光を放っていた。二本の街路樹の間に蜘蛛の巣を模したネットが張られ、巨大な蜘蛛が何匹もぶら下がっていた。道ゆく子供の半数はオレンジ色のバルーンを握り、黒い三角帽を被ってマントを身に着けていた。

「おい」

肩を叩かれて振り向くと、顔を包帯で包んだ男が立っていた。

すぐに逃げ出さなかったのは、その声が初めて聞く声ではないような気がしたからだ。

男が包帯をずらして顔を見せた。僕たちにハロウィン・パレードのことを教えてくれた、ベーカリーショップのオーナーだった。

「何だ、あんたたちも人が悪いな。参加者ならそうといってくれよ」

オーナーは僕の肩を叩いていった。

「あなたこそ、参加しないようなことをいっていたじゃないですか」

「まあな」彼は恥ずかしそうに笑った。「もうパレードには出たのか？」

「ええ。そちらは？」

「俺もとっくに出番は終えたよ。しかし、人の量がすごいな。既に五回は足を踏まれたよ」

「去年もこんなに見物客がいたんですか？」

「いや、今年は特に多い。街の連中も驚いてる」

「ハロウィンは日本に定着しないだろうというのが定説ですけど……」僕は辺りを見回した。「これを見ると、案外そうでもないいんじゃないかという気になりますね」

「匿名性の強い場でのコミュニケーションが好きなんだよ、この国の人間は。性にあってるのさ」

「あの、この辺りに古着屋ってありますか？」と少女が割って入った。「着替えの入った方の鞄を列車に忘れてきてしまったようでして。こんな格好で帰るにもいかないので、適当に着るものを買いたいんです。乾いているとはいえ塗料だらけの手で新品の服に触れるのは気が引けるから、古着屋が一番いいんですけど」

「それは災難だったな」彼は包帯を弄りながら考え込んだ。「古着屋か。確か、向こうのアーケードの端に、一軒あったと思う」

彼は僕らの背後を指差した。

少女は軽く頭を下げ、僕の袖をくいくいと引いた。

「急いでるのか?」

「ええ、人を待たせているので」と僕は答えた。

「そうか。もうちょっとゆっくり話したかったんだけどな」

オーナーは包帯の巻かれた右手を差し出して握手を求めてきた。僕は怪我のことを考えて躊躇したが、思い切って彼の手を握った。すかさず、怪我をした小指もろとも強く握り返される。包帯に血が染み込む。歯を食いしばって笑顔を作った。少女も渋々といった様子で彼と握手をした。

アーケード内は特に込みあっていて、たった数十メートル先の古着屋に辿り着くのに十分近くかかった。一歩進むごとに床が軋む、狭い店だった。僕らは手早く服を選んで籠に入れ、レジに持っていった。今回は少女も悩まなかった。

白い仮面で仮装した店員の男は僕らのような客に慣れているらしく、「写真撮ってもいいですか?」と聞いてきた。適当な理由をつけてそれを断りつつ財布を取り出すと、

「あ、ハロウィン割引で半額です」と値段を訂正された。仮装している客限定の割引のようだ。

　今すぐにでも着替えたかったが、その前に顔や手足の血を落とす必要があった。多機能トイレを使うのが最善策だろうと思いテナントビルや小型百貨店を渡り歩いたが、どこもかしこも使用中だった。仮装者が更衣室として使っているのかもしれない。

　歩き疲れ、この際ボディシートでも買い込んで地道に拭き取るのはどうだろうと考えながらふと顔を上げると、建物の隙間に、中学校の屋上から突き出る大時計が見えた。

　フェンスをよじ登り、敷地内に侵入した。校舎裏のピロティの洗い場は枯れ木に囲まれており周囲に明かりもなく、隠れて体を洗うのには最適だった。物置代わりになっているそこには文化祭の残骸らしきものがいくつも転がっていた。舞台のセット、着ぐるみ、横断幕、テント、そういったものだ。

　シャツを脱ぎ、痺れるほど冷たい流水で手足を濡らし、水栓に取りつけられたレモンの香りのする石鹸をネットで泡立て、血の上からごしごしと擦る。乾いた血はそう簡単には落ちてくれないが、辛抱強く擦り続けていると、ある段階を境に一気に綺麗になる。石鹸の泡が小指の傷口に染みた。

隣に目をやると、少女がこちらに背を向けたままブラウスを脱ごうとしていた。火傷痕の残る細い肩が露わになった。慌てて視線を逸らした後、僕も少女に背を向けてTシャツを脱いだ。濡れた肌が夜風に晒され、寒さに歯が鳴った。硬い石鹸を苦労して泡立て、首元や胸に擦りつけて洗い流し、古着屋で買った香木の匂いがするTシャツを着た。

最後に残った問題が、髪だった。少女の長い髪にこびりついた血液は凝固してしまっていて、冷水では取れそうになかった。どうしたものかと思案していると、少女は鞄から洋裁鋏を取り出した。

まさかと思った次の瞬間には、彼女はその美しい長髪を鋏で切り落としていた。二十センチ近くは切ったように見えた。少女は手に残った髪の毛を、木枯らしの中にばら撒いた。それは暗闇に溶け込んですぐに見えなくなった。

着替えを終える頃には、体が芯まで冷え切っていた。少女はニットコートの襟に首を埋め、僕はダックジャケットのジッパーを一番上まで閉め、がたがたと震えながら駅まで歩いた。途中で少女が足の痛みを訴えたので、そこからは僕が彼女を背負って歩いた。混雑している中で切符を購入していると、列車の到着を予告する放送が流れた。跨線橋《こせんきょう》階段を小走りで駆け抜け、まばゆい光を放つ列車に乗り込んだ。二十分後に降車した駅で自由席券を購入し、新幹線に乗り継ぐ。通路に座ったまま二時間ほど経過したところで降り、再び鈍行に乗った。その頃には疲労が限界に達していた。席に着いて三十秒としないうちに、僕は眠りに落ちた。

肩に重みを感じた。いつの間にか、少女が僕の肩に寄りかかって眠っていた。穏やかな呼吸のリズムが伝わってきた。ほのかに甘い匂いがした。妙に、懐かしい感じを覚えた。目的地までまだずいぶんあるし、無理に起こす必要はないだろう。彼女が目を覚ましたとき気まずい思いをせずに済むよう、僕は再び瞼を閉じて眠ったふりをした。

まどろみの一歩手前をふらふらしていると、馴染みのある駅名がアナウンスされるのが聞こえた。少女の耳元で「そろそろ着くよ」というと、目を閉じて僕にもたれかかっている少女から「知ってます」と即座に返事がきた。

いつから起きていたのだろう？

結局、降車駅に着いて席を立つその瞬間まで、少女は僕に寄りかかったままだった。

アパートに着いたのは午後の十時過ぎだった。先に少女がシャワーを浴び、例の寝間着代わりのパーカーを着てフードを被り、鎮痛剤を飲んでベッドに潜り込んだ。僕も早々に浴室を出て寝間着に着替え、傷口に塗ったワセリンの上から絆創膏《ばんそうこう》を貼り、鎮痛剤を規定量より一つ多く水で飲み下してソファに横になった。

深夜に、物音で目を覚ました。

真っ暗闇の中、少女がベッドの上で両膝を抱えていた。

「眠れないのか？」と僕は訊いた。

「見ての通りです」

「まだ膝が痛むのか？」

「確かに痛みますけど、それは大した問題ではありません。……その、あなたもいい加減わかっていると思いますけど、私、腰抜けなんです」少女はそういって膝に顎を埋めた。「目を閉じると、あの男の姿が瞼の裏に浮かんでくるんです。血だらけのあの男が、私に跨って、拳を構えているんです。怖くて眠れないんです。……馬鹿みたいでしょう？　殺人鬼のくせに」

僕は言葉を探した。彼女の内に渦巻くあらゆる不安や悲しみを排除して安眠をもたらしてくれる、魔法のような言葉。そんなものがあればいいと思った。だが僕はこういう場面にあまりに不慣れだった。まともに人を慰めた経験なんて一度もなかった。

時間切れだった。僕の口から出てきたのは、実に気の利かない言葉だった。

「軽く、酒でも飲まないか？」

少女は静かに顔を上げ、「……悪くないですね」といってフードを脱いだ。

鎮痛剤とアルコールの飲みあわせは避けたほうがよいことは知っていたし、アルコールそのものが怪我によくないことも知っていた。しかし、他に少女の苦痛を癒す手段を知らなかった。人生経験に乏しく他人への思いやりに欠ける僕の慰めより、アルコールによる中枢神経抑制作用の方がよほど信用できる。

レンジで温めたミルクにブランデーと蜂蜜を混ぜたものを二杯作った。中々寝つけない冬の夜、僕はよくこれを作って飲んだものだった。リビングにいき、マグカップを少女に渡す際、そういえばあの男はこうやって油断させて僕を殴ったんだったな、と思い出した。

少女は僕の手からカップを受け取り、湯気の立つミルクに息を吹きかけて冷ました。

「おいしい」

一口飲んだ後、彼女はそう呟いた。

「お酒にはあんまりいい思い出がないけど、こういうのは好きです」

早々に自分の分を飲み終えた彼女に僕の分を勧めると、喜んで飲んだ。

明かりはヘッドボードの読書灯のみだったので、少女の顔が酔いで火照《ほて》っていることには中々気づかなかった。

ベッドに並んで腰掛け、僕が何をするでもなく本棚を眺めていると、少女が舌足らずな口調でいった。

「あなたは、全然わかっていません」

「ああ。多分、その通りなんだと思う」と僕は同意した。事実、彼女が何のことをいっているのかさっぱりわかっていなかった。

「……こういうときこそ、点数を稼ぐべきだと思うんです」と少女は自分の膝を見つめていった。「私が、めずらしく、慰めを必要としているんですから」

「まさにその方法を考えていたところなんだ」と僕はいった。「でも、どうやって君を慰めたらいいのかわからない。君を殺した張本人である僕が何をいっても、まるで説得力がない。それどころか、かえって嫌味や皮肉に聞こえてしまう」

少女は立ち上がってマグカップをテーブルに置き、人差し指で軽く弾いてからベッドに座り直した。

「じゃあ、一時的に事故のことは忘れてあげますから、その間に点数を稼いでください」

どうやら彼女は、切実に僕の慰めを必要としているらしい。

僕はちょっとばかり大胆な賭けに出ることにした。

「少々変わった方法になるけれど、それでもいいか？」

「ええ、好きにしてください」

「僕がいいというまで、一度も身動きしないと誓える？」

「誓います」

「後悔しない？」

「……おそらくは」

少女の正面で立て膝になり、彼女の膝の痛々しい痣を間近で観察した。初めは赤く腫れていた部分が、今は紫がかった色に変わっていた。

痣のすぐ傍に指先で触れると、少女はびくっと体を震わせた。少女の目に警戒の色が宿るのが見て取れた。これでしばらくは、僕の手の動きに全神経を集中させるはずだ。

徐々に緊張を高めていく。僕は文字通り腫れ物に触れるような慎重さで、彼女の痣の上に指を一本一本載せていき、最終的には手のひら全体で痣を覆った。あとほんの僅かでも力を入れたら、彼女の膝に激痛を与えることのできる状況だ。その選択肢も魅力的ではあった。

少女は怯えつつも、約束に従い、身動きを取ろうとはしなかった。口をきゅっと結んで、ことのなりゆきを見守っていた。

彼女にとっては焦れったい時間だったことだろう。あえて、その状態をできるかぎり長く保った。

緊張が最大限に高まったところで、僕は、その言葉を口にした。


「いたいのいたいの、とんでゆけ」


彼女の膝から手を離し、窓の外に向けて振り払った。

どこまでも生真面目に、僕はその動作をやってのけた。

少女は呆然と僕の顔を見つめた。

失敗か、と思った。

だが束の間の沈黙の後、少女はくすくすと笑い出した。

「何ですか、それは？　馬鹿みたいですよ」彼女は口元を押さえていった。だがその笑いに嘲笑めいたところはなかった。本気で、心から、幸せそうに、彼女は笑ってくれた。「小さな子供じゃないんですから」

「そうだな。馬鹿みたいだ」僕もつられて笑いながらいった。

「一体何をされるのかとびくびくしてたんですよ。散々焦らしておいて、たったのこれだけですか」

少女は全身の力を抜いてベッドに仰向けに倒れ込み、両手で顔を覆って笑った。笑いの発作がおさまった後、彼女はいった。

「……どこに飛んでいくんでしょうね、私の痛みは？」

「君に優しくしなかった、すべての人々のところに」

「それは好都合です」

少女は体を捻ってもそもそと起き上がった。笑い過ぎで、瞳が潤んでいた。

「あの、さっきの、もう一度お願いできますか？」と彼女はいった。「次はこの、忌まわしい記憶の詰まった頭にお願いします」

「もちろん、何度でも」

瞼を閉じた少女の頭に手のひらを被せ、僕は再び、馬鹿げた気休めの呪文を唱えた。彼女はそれだけでは満足せず、〈先送り〉の解除に伴ってできた傷痕の一つ一つに同じことをするように求めてきた。手のひらの刺傷、腕と背中の火傷、太腿の裂傷。目の下の傷痕まで慰め終えると、少女は本当に痛みがどこかへ飛んでいったのかとこちらが錯覚するほど安らかな表情をした。まるで魔法使いになったみたいだな、と僕は思った。

「あの、あなたに一つ、謝らなければいけないことがあります」と彼女はいった。

「〝親しくしていた人も世話をしてくれた人も好きな男の子も好きだった男の子もいない〟。そう、私はいいました。覚えていますか？」

「ああ」

「あれは嘘です。私にはかつて、親しくしていて、世話にもなった、大好きな男の子が一人いました」

「かつて、か。今はいない、ということか？」

「ええ、ある意味ではそうですね。しかもそれは、私のせいなんです」

「……どういうことだ？」

しかし彼女はその先を話そうとはしなかった。喋りすぎた、という顔で首を横に振った。無理に聞き出すこともあるまいと追求を諦めると、少女は「さっきの、私もやってあげましょう」といって僕の手首をそっと握り、絆創膏で巻かれた小指に優しく息を吹きかけた。

いたいのいたいの、とんでゆけ。

第7章　賢い選択

落雷の音で目を覚ました。時計を見ようとして体を起こすと、体のあちこちが軋んだ。強い悪寒と頭痛もあった。指先を動かすにも気合を要するほどのべっとりとした倦怠感《けんたい》が、体中を覆っていた。

よく覚えていないが、また遊園地の夢を見ていた気がする。強いショックを受けた後には、そういう子供らしいノスタルジーに浸りたくなるのかもしれない。夢の中の僕は、今回も誰かに手を握られていた。そしてどういうわけか、並んで歩く僕たちは、すれ違う大勢の人々からの無遠慮な視線に晒されていた。

僕たちの顔に何かついているのだろうか？　それとも僕たちの存在自体がこの場に相応しくないのだろうか？〈いいさ、構うものか〉と僕は首を振る。これ見よがしに、隣にいる何者かの手を強く引く。

そこで夢が途切れる。フォトプレイヤーの音色が耳に残っていた。ふと、僕は思う。ひょっとすると、この夢を見るのは二回目や三回目どころではないのかもしれない。既視感が強すぎるのだ。忘れてしまっているだけで、僕は夢の中でこの場所を繰り返し訪れているのだろう。

それほどまでに自分は強く遊園地という場所に憧れを抱いているのだろうか？　あるいは単に、満たされなかった少年時代の象徴として、たまたま遊園地が選ばれただけなのだろうか？

時針は二時近くを指していた。窓から覗く空は厚い雲で覆われ、夜かというくらい薄暗かったが、それが午前ではなく午後の二時を示しているのは確実だった。

「ずいぶん、長い間寝てしまっていたみたいだ」

テーブルの上で重ねた両手に顎を載せて僕を眺めていた少女は、こくりと頷いた。昨晩の親しみやすさは失われ、また以前のようにぴりぴりした彼女に戻っていた。

手洗いや洗顔を済ませ、リビングに戻って「今日はどこの誰に復讐するんだ？」と訊くと、少女がすっと立ち上がり、僕の額に手を伸ばして触れた。

「熱があるんですね？」

「ああ、少しだけ。風邪でもひいたかな」

少女は首を振った。「ひどく殴られると、熱が出るものです。私もよくやりました」

「そうか」僕は自分の額の温度を指先で確かめた。「でも安心してくれ、別に動けないわけじゃないから。さあ、今日はどこへ向かえばいいんだ？」

「そこのベッド」

そういうと、少女は僕を突き飛ばした。足元がふらついていた僕はあっさり倒れ、ベッドの上に尻餅をついた。

「熱が引くまで安静にしていてください。どうせ、そのままでは役立たずでしょうから」

「それでも、運転くらいは……」

「何を運転するつもりですか？」

そういわれて、昨日車を失ったことをようやく思い出す。

「この気温、この豪雨です。そんな体で出歩いたら倒れますよ。どうせ公共交通機関もまともに機能してはいないでしょう。今はここでじっとしているのが得策です」

「君はそれでいいのか？」

「いいわけないでしょう。ですが、よりよい選択肢があるとも思えません」

彼女のいう通りだった。今取れる最善の策は、体を休めておくことだろう。横になって全身の力を抜くと、少女が僕の足元に丁寧に折り畳んであった毛布を被せてくれた。

「気遣わせてすまないな。ありがとう、秋月」僕はさり気なく彼女の名を呼んでみた。

「感謝するのはあなたの勝手ですが」と少女は僕に背を向けていった。「四人目への復讐を終えたら、その次はあなたの番ですから。それだけは忘れずに」

「ああ。わかってる」

「それから、その呼び方はやめてください。私、自分の苗字が嫌いなんです」

「わかった」

よい響きの苗字だと思うのだが、何が不満なのだろう?

「ならいいです。これから朝食を買ってきますけど、何か他に必要なものはありますか?」

「大判の絆創膏と、解熱鎮痛剤。ただ、出かけるのはもう少し雨が弱まってからの方がいいと思う」

「待っていて弱まる保証はありません。雨にせよ、何にせよ」

そう彼女はいい、部屋を出ていった。

それから一分とせずに、ドアが開く音がした。忘れ物でもしたのかと思ったが、入ってきたのは少女ではなく隣部屋の美大生だった。

「うわ、本当だ、酷い顔」彼女は顔をあわせるなりいった。荒編みの暖かそうなニットを着ており、それとの対比で、ショートパンツから伸びる脚がいつも以上に細く見えた。

「呼び鈴くらい押してください」と僕はいった。

「あの子に頼まれたんだよ」心外だという顔で彼女はいった。「廊下で会ったから挨拶したら、泣きつかれたの。『彼が高熱を出して苦しそうにしてるんです』って」

「嘘ですね」

「うん、嘘。でも、頼まれたのは本当だよ。わざわざ私の部屋までやってきて、『買い物にいっている間、あの人を看ていてくれませんか』って」

僕は少しの間考え込んだ。「それも嘘でしょう?」

「本当だよ。そもそも、私が自分から人に声をかけるわけがないじゃない」

美大生は正面で中腰になり、僕の顔をまじまじと覗き込んだ。そして毛布から出た右手に視線を移し、「うわっ」と声を漏らした。

「すごい怪我だね。あの子も酷かったけど、君はさらに酷い。もしかして全身傷だらけ?」

「酷いのは右手だけで、あとは大した傷ではないです」

「そっか。何にせよ、その右手は本当に酷い。ちょっと待ってて、今部屋から救急用品を取ってくるから」

慌ただしく部屋を出て、小走りで戻ってきた彼女は、血で固まった絆創膏を鋏で切り取り、僕の指の傷の状態を確認した。

「これ、ちゃんと洗った？」

「ええ。流水で念入りに」

「一応聞いておくけど、病院にいく気はある？」

「ありません」

「だろうね」

彼女は手馴れた動作で僕の傷口を処置した。

「上手いものですね」テーピングされた傷を見て、僕はいった。

「弟が、しょっちゅう怪我をする子だったんだ。部屋で本を読んでいると、よく弟が入ってきて、『姉ちゃん、怪我した』って自慢気に傷口を見せつけてきてね。その都度私が手当てしていたの。ここまで酷い傷は、一度もなかったけれど。あの子が見たら羨ましがるかもね」

他の傷の具合まで確認し終えた彼女は、「さて」といった。

「一体、君たちの身に何があったの？」

「二人仲よく階段を転げ落ちたんです」

「ふうん？」美大生は疑わしげに目を細めた。「それで、全身をくまなくぶつけた挙句、なぜか小指に刃物で切ったような傷が二箇所もついたんだ？」

「そういうことです」

美大生は無言で僕の小指を叩いた。不意の激痛に僕が悶えるのを見て、彼女は満足気な表情をした。

「それで、これからまた階段から落ちる予定はあるの？」

「ないわけではないです」

「ここ数日の間に二人の女性が刺殺されていることは、君たちと関係があるの？」

テーブルにあった少女の洋裁鋏に目をやってしまったのは僕の不注意だった。だが美大生は僕の視線の不自然な動きには気づかなかったようだ。

中々勘がいいじゃないか、と僕は内心で彼女を褒めた。

「へえ、物騒な事件が起きているんですね。気をつけますよ」

「本当に関係ないんだね？」

「ええ、残念ながら」

「……そっか。つまらないな」と彼女はいった。「もし君が二人を殺した犯人なら、ついでに私も殺してもらおうと思ったのに」

「どういうことですか?」と僕は訊いた。

「つまりね、君がもし犯人だったら、私は君を脅迫するんだ。『どんな理由があろうと、友人の悪事を見逃してはおけない。私はこのことを警察に話す』といって、交番へ向かうの。君はどうにかして止めようとするんだけど、私の意志は固くて、もうこの人を止めるには殺すしかないと判断して、他の女性を殺害したときのように私を刃物で突き刺すわけ。めでたし、めでたし」

被せるように、僕はいった。「方法を訊いているんじゃありません。なぜあなたが殺されなければならないんですか?」

「その質問は、『なぜあなたが生きていなければならないんですか?』と同じくらい難しいね」彼女は肩を竦めた。「君もどちらかといえば生きていたくない側の人間だと踏んでいたんだけど、違うの? ここ数日で君の目つきが変わったのは、あの女の子に生き甲斐をもらっちゃったせい?」

答えられずに黙っていると、玄関から物音がした。少女が帰ってきたようだ。買い物袋を提げてリビングに戻ってきた彼女は、部屋に満ちているかすかにぴりぴりした空気を敏感に察知し、足を止めた。

美大生は僕と少女を交互に眺めた後、すっと立ち上がって少女の手を取った。

「ねえ、その髪、私が整えてあげるよ」美大生は少女の後ろ髪を指で梳《す》いた。それから僕に、「大丈夫、取って食ったりはしないから」と耳打ちした。

「あなたのカットの腕は信用してますが、まずは本人の意思を確認してくださいよ」と僕はいった。

「髪、切ってくれるんですか？」少女はきょとんとした顔で訊いた。

「うん。任せて」

「……そうですか。ありがとうございます。ぜひ、お願いします」

信用できるかどうか微妙なラインだったが、結局、僕は少女の好きにさせることにした。髪のことなど気にもかけない女の子だと思っていたから、意外な感じがした。美大生が少女に何をするのか、また何を喋るのか不安だったが、一方で、彼女のヘアカットの技術には信頼をおいていたので、仕上がりが楽しみでもあった。それが何にせよ、あるものが以前より美しくなるというのはいいことだ。

二人が隣の部屋に姿を消すと、僕は少女の持ってきた買い物袋の中身を冷蔵庫に入れ、CDプレイヤーに『ケイオス・アンド・クリエイション・イン・ザ・バックヤード』をセットして小音量で流し、再びベッドに寝転んだ。

雷鳴は聞こえなくなったが、雨は激しさを増したようだった。横殴りの風で、窓を雨粒がばらばらと叩いていた。久しぶりの一人きりだった。

子供の頃、体が弱かった僕は、平日の午後によくこうやって天井や窓の外を眺めていたものだった。学校を休んで一人きりで寝て過ごす雨の午後は、自分一人が世界中から取り残されたように感じた。家の外ではとっくに世界が終わっているんじゃないかと不安になり、あまりの静寂に耐え切れず、テレビやラジオや目覚まし時計など、家中の機械を作動させて回ったこともあった。

今の僕は、そう簡単に世界が滅びてはくれないことを知っているから、部屋中の機械を鳴らして回ったりはしない。

代わりに、手紙を書く。

僕自身忘れかけていたが、そもそもここ数日の一連の出来事は、霧子との文通をきっかけにして始まっていた。自分からその関係を断ち切っておきながら今さらになって彼女との再会を望んだせいで、僕は殺人の手伝いをさせられ、こうして全身傷だらけでベッドに横たわっているのだ。

こういう言い方をすると語弊があるかもしれないが――実をいうと僕は、霧子との文通をやめた後も、手紙を書き続けていた。誰に向けてかというと、それはやはり霧子に向けてだった。ただし、その頻度は半年に一度程度で、また書いた手紙がポストに投函されることもなかった。

嬉しいことがあったとき、悲しいことがあったとき、どうしようもなく寂しくなったとき、すべてが空《むな》しくなったとき。僕は自分の精神の安定のために、出す当てもない手紙を書いて、わざわざ切手を貼った上で抽斗にしまった。異常な行為だという自覚はあったが、それ以外に自分を慰める方法を知らなかったのだ。

久しぶりに、それをやってみようと思った。テーブルの上に便箋を広げ、万年筆を握る。文面は特に考えていなかったが、ここ数日の間に起きた出来事について書き始めると、もう手が止まらなかった。飲酒運転で人を轢いてしまったこと。死んだはずの少女が無傷で目の前に立っていたこと。〈先送り〉のこと。復讐の手伝いをさせられるようになったこと。少女が躊躇いなく洋裁鋏で復讐相手を刺し殺していったこと。その都度、彼女が腰を抜かしたり嘔吐したり夜中眠れなくなったりしていたこと。二人目に復讐を終えた後、わざわざ殺人現場でボウリングや食事を楽しんだこと。三人目の復讐相手から手痛い反撃にあったこと。ハロウィン・パレードのおかげで返り血に塗れていても誰からも見咎められなかったこと。

「そもそも君に会いにいこうなどという気を起こさなければ、僕がこんな目に遭うことはなかったのだと思います」

そう結ぶと、僕はベランダに出て煙草を吸った。そしてまたベッドに戻り、午睡をした。外は嵐だったが、実に穏やかな午後だった。神聖な感じすらした。

少女が事故を〈先送り〉していなかったら、今頃僕はどうなっているのだろうか。これまで意識的に考えないようにしてきたが、一人部屋でじっとしていると、そういった現実的な問題について思いを巡らせずにはいられなかった。

事故直後に僕が自首していたとしたら、逮捕から四日以上が経過しているだろうから、既に刑事や検事からの取り調べは済み、裁判所で勾留質問を受ける準備をしているか、それも終えて留置場の畳に寝転がり天井を見上げているかというところだろう。

しかし、それは楽観的な方の予想だった。〈先送り〉の解けた世界で、僕がとうに自殺しているという可能性もあった。少女を轢き殺してしまった時点で人生に見切りをつけ、そこら辺の手頃な木で首を吊《つ》って死んでしまっているかもしれない。

その光景は容易に想像できた。ハングマンズ・ノットの輪の中に首を入れた僕は、数秒間過去に思いを馳せた後、その空虚さに背中を押されて踏み台を蹴飛ばす。ぎゅうぎゅうと枝が軋む。

自殺には勇気がいると考える人は多い。だがそれは自殺の是非について深刻に悩んだことのない人間の考えだと僕は思っている。「自殺する勇気があるならそれを他に使えばいい」など、見当違いもいいところだ。自殺に必要なのは勇気ではない。ちょっとした絶望と、束の間の錯乱だ。ほんの一秒か二秒の錯乱で、自殺は成立してしまう。大体、人は死ぬ勇気があるから自殺するのではない。生きていく勇気がないから自殺するのだ。

留置場か、木の枝か(あるいは火葬場か)。いずれにせよ、気の滅入る話だった。こうして柔らかいベッドに寝転んで好きな音楽を聴いていることが奇跡のようだ。

CDは二周目に入っていた。ポール・マッカートニーの唄う『ジェニー・レン』にあわせて、口笛を吹いた。

雨は一日中降り続いた。

午後六時頃、空腹を覚えて起き上がった。思えば今日はまともなものを食べていなかった。キッチンに立ち、少女の買ってきたキャンベルのチキンヌードルスープの缶詰を片手鍋に開け、水を加えて火にかけた。ちょうどそのとき、少女が戻ってきた。

それまで見る者に重い印象を与えていた長髪は、首の付け根までの長さに切り揃えられていた。ほとんど目を覆うようだった前髪も、目の下の傷が目立たないくらいの長さを保ちつつ、すっきりとした軽さになっていた。上手なものだ、と僕は美大生のカットの腕に改めて感心した。

少女は僕の姿を認めるなり、「そういうのは私がやりますから、寝ていてください」といって僕をリビングに追いやった。少女の顔の痣が消えていることに気づいた。〈先送り〉したのかと思ったが、何ということはない、美大生が化粧で消してやったのだろう。

「あの人、何か妙なことを君にいわなかった？」と僕は訊いた。

「いえ。親切にしていただきました。悪い人ではなさそうでしたよ。部屋が少々散かっていましたが」

あれは散らかっているわけではないんだ、と説明しようと思ったが、彼女にそんな話をしても仕方がないのでやめておいた。

「あの人の腕は確かだっただろう？　僕も一度切ってもらったことがあるけれど、下手な美容師よりよほど上手かった。彼女はもともと美容院にいくのが死ぬほど嫌いで、というか美容師という人間が死ぬほど苦手で、自分で髪を切るようにしていたらいつの間にかあんなに上手くなっていたらしい」

「無駄口を叩かないでください。そんなことでは熱がいつまでも下がりませんよ」

数分後、スープの入ったカップを持った少女がやってきた。「すまない」といって受け取ろうとすると、少女は僕の手を払いのけた。

「口を開けてください」

真顔でそういった。

「いや、何もそこまでしてくれなくても……」

「いいから。手も怪我しているんでしょう?」

怪我をしているのは右手で、利き手は無事なのだと説明する暇もなく、少女がスプーンを僕の口に近づけてきた。不承不承口を開けると、その中にスプーンが入ってくる。火傷するほど熱い、というわけでもなければ、吐き出すほど不味《まず》い、というわけでもない。それは実に安全かつ適切なチキンヌードルスープで、僕はかえって不安になる。

「熱くないですか?」と少女が訊く。「少しだけ」と僕がいうと、彼女は次の一口をスプーンで掬い、息をふうふうと吹きかけて冷ましてから僕の口に運ぶ。適温だ。スプーンが口から抜かれる。嚙む。飲み込む。「それで、次の復讐相手は……」といいかけたところで再びスプーンが口に突っ込まれる。嚙む。飲み込む。「黙って食べてください」と少女がいう。噛む。飲み込む。

自分は今、不注意で殺してしまった相手に看病されているのだと思うと、何ともいた堪れなかった。

「……私、やっぱり、こういうのには向いていませんか？」

僕がスープを飲み終えると、少女がいった。

「いや、上手いものだと思うけど」

戸惑いつつ僕がそう答えると、少女は首を傾げた。

「何か勘違いしていませんか？　復讐の話ですよ」

「ああ、そっちの話か。看病のことかと思ったよ」

少女は俯き、空になった容器の中を覗き込んだ。

「……正直にいうと、次の復讐も怖くて仕方ないんです」

「誰だって、人を殺すのは怖い。君が特別臆病なわけではないよ」と僕は励ました。

「大体、三人も殺しておいて、〝向いていない〟ということはないだろう？」

少女はゆっくり首を横に振った。

「三人も殺したからこそ限界がきているのでは、と思ったんです」

「ずいぶん弱気だな。じゃあ、もう復讐はやめて、怨みを忘れて、残りの日々を何となく平穏に過ごすか？」

焚《た》きつけるつもりでいったのだが、僕の意図に反し、少女はその言葉を素直に受け止めたようだった。

「……実際のところ、そうするのが賢明なんでしょうね」

あなたのいう通り、復讐なんて無意味ですから。

彼女はそう小さく呟いた。


十一月一日。少女が死んだ事故から六日目の朝で、期限である十日の折り返し地点を過ぎたことになる。にもかかわらず少女は、朝がきても一向に動き出そうとしなかった。僕の高熱は治まり、天気も小雨になっていたが、肝心の少女は朝食を終えるとすぐにベッドに潜り込み、毛布を頭まで被ってしまった。

「具合が悪いんです」と彼女はいった。「しばらく、動けそうにありません」

それはどう見ても仮病だった。本人もそれを無理に隠す気はないようだったので、僕は率直に訊いてみた。

「復讐は、もうやめにするのか？」

「……そんなことはありません。体調が優れないだけです。ほっといてください」

「そうか。気が変わったら、いつでもいってくれ」

僕はソファに座り、床に散らばっていた音楽雑誌の一つを取り、聞いたこともない名前のアーティストのインタビュー記事のページを開いた。内容は何でもよかった。こんな状況でリラックスして文章を追えるはずがない。

五ページにわたるインタビューを読み終えると、もう一度頭から読み直して、「パセティック」という単語が記事の中で何度用いられたか数えてみた。全部で二十一回はさすがに多過ぎるし、それを数える僕も馬鹿みたいだった。他にすることはないのか？

少女が毛布から顔を出した。

「あの、しばらくどこかを歩いてきてくれませんか？　一人になりたいんです」

「わかった。しばらくというと、どれくらいだ？」

「最低でも五、六時間ほど」

「何かあったら、すぐに連絡してくれ。公衆電話もアパートの外にあるが、隣部屋の彼女に借りにいっても快く貸してもらえると思う」

「わかりました」

傘がなかったので、モッズコートのフードを被り、忘れずにサングラスもかけてアパートを出た。霧のような雨がじわじわとコートに染み込んでいった。道ゆく車はフォグランプを点けて慎重に走っていた。

いく当てもなくバス停に立ち、十二分遅れで到着したバスに乗り込んだ。車内は混みあっており、様々な体臭が混じりあって淀《よど》んだ臭いを作り上げていた。バスは激しく揺れ、足の筋力が衰えきっている僕は何度も体勢を崩しかけた。斜め前の曇った窓ガラスには、幼い字で卑猥《ひわい》な文句が書かれていた。

繁華街で降りてはみたものの、ここから五時間どのように過ごすか、まったくといっていいほど決めていなかった。喫茶店に入ってコーヒーを飲みながらじっくり考えてみたが、よいアイディアは浮かばなかった。

考えてみれば、これから僕が何をしようと、〈先送り〉の解除された世界の僕に影響はない。本来であれば、今頃僕は留置場にいるか、そうでなければとっくにくたばっているはずなのだ。今から僕がどんな善行を積もうとどんな悪事に手を染めようと、どれだけ散財しようとどれだけ不摂生しようと、少女が死ねばすべて帳消しだ。僕は究極の自由の中にいた。

何をしてもいいんだ、と僕は思う。その上で自分に問う、僕は何がしたい？　だが答えはない。やりたいことはない。いきたい場所もない。ほしいものもない。

僕はこれまで何を楽しみに生きてきたのだろう？　映画、音楽、本……いずれに対しても人並み以上の関心を抱いていたが、一方で、これがなければ生きていけないというほど熱意を注いでいるものはただの一つとしてなかった。

僕がそれらの娯楽を好んだのは、初めのうちは、ひょっとしたら自分の中の広々とした空虚を埋めてくれるかもしれないという期待があったからだ。眠気を堪え、退屈に耐え、苦い薬を飲み干すように、数々の作品を鑑賞してきた。だが結局のところ、そうした努力を通じて僕が得られたのは、自分の空虚の広さや深さに関する知識くらいのものだった。

それまで僕は、人の内側にある空虚とは、満たすべきもので満たされてない空間のことを指すのだと思っていた。だが最近になって、その認識は変わった。何を投げ込んでも、たちどころに消滅してしまう空間。ゼロとすら呼べないような、絶対的な無。そういうものが自分の中にあるのだ、と考えるようになった。埋めようとするだけ無駄なのだ。周囲に頑強な壁を作り、極力触れないように気をつける他に対処はない。

そう気づいてからは、僕の趣味は「穴埋め」から「壁作り」の方面へとシフトしていった。内省的な作品よりも、単純に美や快を志向する作品を好むようになった。それらにしたって本心から美や快を楽しめていたわけではないが、からっぽの内面と向きあわされるよりはましだった。

　だが、ひょっとするとあと数日で死んでしまうかもしれないというこの状況で、今さら壁作りに専念する気にもなれなかった。子供が新しい玩具で遊ぶかのように、もっと愚直に楽しめるものはないのだろうか？　早めの昼食をとり、心躍らせる何かを求めて繁華街をうろつきまわっていると、反対側の歩道にいる大学生の集団が目に入った。見覚えのある連中だった。学部の同期生たちだ。

　ざっと数えてみると、同期の七割以上がそこにいるようだった。何の集まりだろうとしばらく考え、おそらく卒業課題研究の中間報告会の打ち上げだろう、という結論に達した。もうそんな時期なのだ。

　皆、何かをやり遂げたようなすっきりとした顔で笑いあっていた。僕に気づく者は一人もいなかった。あるいは、僕の顔なんてとっくに忘れてしまっているのかもしれない。僕が立ち止まっている間も、彼らの時間は着々と進んでいく。僕が代わり映えのしない日々を送っている間も、彼らは一日一日様々な経験を積んで成長しているのだ。

　これほど決定的に孤独を意識させられるような光景を前にしてもさほど傷つかないというところに、僕の本質的な問題がある。昔からそうだった。もしこういうとき普通の人と同じように傷つくことができたなら、僕の人生はもう少し豊かなものになっていただろう。

　たとえばそう、高校三年の頃、少しだけ気になっている女の子がいた。どちらかといえば無口で、写真を撮るのが好きな子だった。いつもポケットにレトロチックなトイカメラを忍ばせ、他の人には理解できないような脈絡のないタイミングでシャッターを切った。しっかりとした一眼レフも持っているようだったが、「人を威嚇するようで嫌だ」といって、あまり好んで使おうとはしなかった。

　彼女はたびたび僕を被写体に選んだ。理由を訊ねると、「彩度の低いフィルムに似あう被写体だから」という答えが返ってきた。

「意味はわからないけど、褒められたわけではなさそうだ」と僕はいった。

「うん。褒めたわけではない」彼女は頷いた。「でも、君を撮るのは楽しい。愛想のない猫を撮っているようで」

　夏が終わり、コンテストが近づくと、彼女は僕を連れ出して街中を回った。訪れる場所の大半は、雑草で覆われた公園、広々とした伐採跡地、一日に十本も列車が通らないような無人駅、廃バスの並ぶ資材置き場跡といった寒々とした空間だった。そういう場所に僕を座らせ、何度もシャッターを切った。

初めのうちは、自分の姿を半永久的に残されるというのに照れ臭さがあったが、彼女が写真をアーティスティックな視点からしか見ていないということを知ってからは抵抗がなくなった。ただ何というか、自分の姿が収められた写真を後生大事そうにファイルする彼女を見ると、かすかに心が動かないでもなかった。よい写真が撮れる度、彼女は教室では見せないような子供っぽい表情を僕に見せてくれた。この笑顔を知っているのは自分だけなのだと思うと、誇らしかった。

ある秋晴れの土曜日、彼女が撮った写真がコンテストで入賞したと聞いて、僕はそれが飾ってあるという会場までわざわざ足を運んだ。自分の写っている写真がギャラリーに展示されているのを見て、次にあの女の子に会ったら食事の一つくらい奢《おご》ってもらおうかな、と思った。

その帰り道に寄った雑貨店で、僕は偶然にも彼女を見かけた。彼女の隣には男がいた。小綺麗な格好をした、髪を茶色く染めた大学生だった。

女の子は男と無理に腕を組もうとし、男の方はやれやれといった顔でそれに従っていた。彼女は僕が一度も見たことのない表情を浮かべていた。なるほど、こういう顔もするんだな、と僕は感心した。

二人が物陰でキスするのを見届け、それから店を後にした。

コンテストも終わり、以後、彼女は僕に声をかけることをやめた。僕もカメラという媒介なしに彼女と話すのはそれほど好きではなかったので、自分から進んで声をかけようとも思わなかった。そんな風にして、僕と彼女のいささか風変わりな関係は終わった。

そのときも、僕はほとんど傷つかなかった。自覚が薄いだけで後になって響いてくるかと思ったが、そういうこともなかった。諦めがよい、というのとは少し違う。驚くべきことに、彼女の隣にいた男を見て、僕は嫉妬や羨望といった感情を微塵も感じなかった。煩わしそうだな、とさえ思った。最初から僕は、本気で彼女を自分のものにしたいとは思っていなかったのだろう。

人はそれを「酸っぱい葡萄《ぶどう》」に過ぎないというかもしれない。お前は何も手に入れることができないから何も手に入れたくないふりをしているだけなのだ、と。そうだったらどれほどよいだろう？　僕の自覚がないだけで、胸の奥では真っ赤な欲望がぐつぐつと煮えたぎり、今にも噴火しそうになっていればいいと思う。しかしいくら自分の中にそれを探しても、痕跡すら見当たらない。黴臭い灰色の空間が延々と続くだけだ。

結局のところ、僕は何かを求めるということができない人間なのだ。記憶に残らないくらいずっと昔に、その能力は失われてしまっていた。あるいはそんな機能は初めから僕には備わっていなかったのかもしれない。ただ一つの例外であった霧子との関係もあっさり断たれてしまった今、僕はもはや自分自身に使い道を見出せなかった。

これをどうしろというのだ？

路地に入り、狭く急な階段を降りた。そこは進藤と僕がかつて入り浸っていたゲームセンターだった。色褪《いろあ》せた看板から容易に想像できるように、僕が生まれる前から稼動しているような筐体しかなく、若者向けとはいい難い店だ。ガムテープであちこちが覆われた両替機、煤《すす》だらけの灰皿、日焼けしたポスター、あちこちが擦り切れた筐体の荒い画面や安っぽい電子音。既に役割を果たしきってしまったはずのあれこれが延命措置を施されてずらりと並ぶ光景は、広々とした病室を連想させた。いや、死体安置所といった方が近いかもしれない。

「俺が好んでこんな退屈な場所にくるのは」と進藤はいっていた。「ここには、俺を急《せ》かすものが一つもないからだと思う」

僕も同じ理由で、そのゲームセンターが気に入っていた。

数箇月ぶりの来店だった。自動ドアの前に立ったが、何秒待ってもドアは開かなかった。

傍の壁に、貼り紙があった。

「この度、当店は九月三十日をもって閉店することとなりました。長年のご愛顧、誠にありがとうございました。（尚、九月三十日の閉店時間は午後九時となります）」

僕は階段に腰を下ろし、煙草に火をつけた。誰かが灰皿の中身を捨てていったのか、辺りには踏み潰されて平らになった吸殻が何百本と散らばっていた。茶色いフィルターだけになった吸殻は、雨に濡れて錆びついた空薬莢《やっきょう》のようでもあった。

これでいよいよ行き場がなくなった。繁華街を出て適当な公園に入り、背もたれのない木製のベンチを見つけると、積もっていた落ち葉を払って人目もはばからず横になった。空は厚い雲に覆われていた。真っ赤な楓の葉がゆっくりと舞い落ちてきて、僕はそれを左手で捕まえた。

落ち葉を胸の上に置き、目を閉じて園内の音に耳を澄ませた。寒々しい風の音、地面に積もった枯葉の上に新たな葉が落ちる音、鳥の鳴き声、グローブが軟球を受け止める音。

一際強い風が吹き、僕の上に何枚もの赤や黄色の葉が落ちてきた。もう一歩も動きたくないな、と思った。このまま落ち葉に埋もれてしまってもよかった。

これが僕の人生なのだ。何一つ求めず、その魂を一度も燃やすことなく燻《くすぶ》らせ、朽ち果てていくだけの人生。しかし、それを悲劇と呼ぶことは、今のところまだ許されていない。


買い物を済ませてアパートに戻ったのは、指定されていたよりも少し早めの時刻だった。二十キロ以上あるキャリングケースを背負って一時間近く歩いたので汗だくだった。リビングの床に置かれたそれを見て、少女は枕元のＣＤプレイヤーから伸びるヘッドホンを外して「何ですか、それ？」と僕に訊いた。

「電子ピアノだよ」汗を拭いながら僕はいった。「部屋でじっとしているのも退屈だろうと思ったから」

「私、弾きませんよ。ピアノはもうやめたんです」

「そうか。無駄な買い物だったかな」僕は肩を竦めた。「あれから何か食べたか？」

「食べてません」

「何か腹に入れたほうがいい。すぐ支度する」

キッチンにいき、昨日僕が少女に食べさせてもらったのと同じ缶詰のチキンヌードルスープを温めた。ベッドに座って窓の外を眺めていた少女は、目の前に差し出されたスプーンと僕を交互に見て、五秒ほど葛藤してから気恥ずかしそうに口を開けた。昨日の様子から、この手のことにまったく抵抗がない子なのかと思っていたのだが、看病される側となると話は違うらしい。スプーンを口内に持っていくと、薄いがとても柔らかそうな唇が閉じた。

「私、ピアノなんて弾きませんから」一口目を飲み込んだ少女がいった。「体調も悪いし」

「わかってるよ。君はピアノを弾かない」

僕は二口目を差し出した。

しかし一時間後には少女はピアノの前に座っていた。すぐ傍で僕が色々と音を試しているのを聞いて耐えられなくなったようだった。

僕がベッドの前にピアノをセットすると、少女は鍵盤の上にそっと指を下ろした。しばらく目を閉じてじっくりとその空気を堪能した後、練習曲のハノンの中でも特に重要ないくつかを、これ以上ないというくらい丁寧に弾いて指を温めた。隣部屋にも響くくらいの音量だったが、美大生はこの種の上品な音にはおそろしく寛容なので問題はない。

僕はそれほど耳がよい方ではないが、それでも彼女の左手が致命的な欠陥を抱えていることがわかった。右手の指遣いが素晴らしいだけに、それは残酷なくらいに目立った。刺し傷で麻痺した左手は、きっと革の手袋でもしているような感覚なのだろう。本人もそれを気にしてか、時々いうことを聞かなくなる自分の左手を憎々しげに睨んだ。

「酷いものでしょう？」と少女がいった。「怪我をする前は、私にとって唯一の取り柄だったんですけどね。今では、この有様です。まるで他人の手に取り替えられたように感じます。弾いている方も聴いている方も不愉快になる演奏しかできません」

左手のミスタッチが三回目を迎えると、少女は演奏を止めた。

「じゃあ、いっそのこと、本物の他人の手に取り替えてみたらどうだろう？」と僕はいった。

「……どういうことですか？」

僕は少女の隣に掛け、左手を鍵盤に置いた。

少女は胡散臭そうに僕を見たが、〈まあいいでしょう〉という顔で、右手のみの演奏を始めた。

幸い、僕でも知っている有名な曲だった。ショパンのプレリュードの第十五番。三小節目から、僕も演奏に混ざった。ピアノは十数年ぶりだったが、電子ピアノの鍵盤はグランドピアノに比べると軽く、指はそれなりに動いてくれた。

「ピアノ、弾けたんですね」と彼女がいった。

「真似事程度ならね。子供の頃に、少しだけ習ったんだ」

右手を怪我している僕と、左手が麻痺している少女で、互いの足りない手を補いあう。

演奏は、思いの外短時間で嚙みあった。二十八小節目になって調が変わると、少女は低音に手を伸ばそうとして肩を寄せてきた。その感触は、一昨日列車内で彼女が寄りかかってきたときのことを僕に思い出させた。コートを着ていない分、今日は向こうの体温がよりはっきりと感じられた。

「具合が悪いんじゃなかったのか？」と僕は訊いた。

「治りました」

素っ気ない口調と対照的に、彼女の奏でる音は、どこまでも親密に僕の音に絡んでいた。

あれこれ弾いているうちに、あっという間に三時間が過ぎた。互いに疲労が見え始めたので、クールダウンにビージーズの『スピックス・アンド・スペックス』を弾き終えたところで電子ピアノの電源を切った。

「楽しめたか？」と僕は訊いた。

「退屈凌ぎには、なりました」と少女がいった。

徒歩で近所のファミリーレストランにいき、夕食をとった。アパートに戻るとブランデーミルクを作ってラジオを聴きながら飲み、その日は二人とも早めに床に就いた。

結局その日、少女は復讐のことを一度も口にしなかった。

彼女は復讐をやめるのかもしれないな、と僕は思った。本人はまだ復讐を続けるようなことをいっていたが、意地を張っているだけだろう。本心ではもう、誰も殺したくないはずだ。恐ろしい思いをして人を殺した後に待っているのは、腰を抜かすほどの恐怖と嘔吐するほどの気分の悪さ、そして罪悪感からくる不眠症だ。一昨日のように思わぬ反撃を受ける可能性もある。復讐が無意味であることを、彼女は今や実感的に理解していた。

今日は少女にとって、非常に穏やかな一日だったはずだ。ヘッドホンをつけてベッドに横たわり毛布に包まって一日中音楽を聴き、思う存分ピアノを弾いて、外食をし、ブランデーを飲んでベッドに戻る。彼女の人生において、これほど平和な一日はかなり珍しかったのではないだろうか。

少女がこういう生活を気に入ってくれればいい、と僕は思った。復讐のことなど忘れて、〈先送り〉の効力が切れるその日まで、今日のようにささやかではあるけれど確かな幸せを追ってくれればいい。服を買ったり、音楽を聴いたり、ピアノを弾いたり、娯楽施設で遊んだり、美味しいものを食べたり。そうすれば彼女はもう腰を抜かしたり嘔吐したり殴られたりせずに済む。僕も、これ以上人殺しにつきあわされることはなくなるし、五人目の復讐相手として〝同じ目に遭う〟必要もなくなるかもしれない。

どうにかして少女を、復讐を断念する方向に誘導できないものだろうか？　ピアノというのは中々いいアイディアだった。他に彼女が好きそうなものはないだろうか。隣の美大生に相談してみるのはどうだろう？　天井を見上げてぼんやりと考えているうちにブランデーが効いてきて、自然と瞼が下りてきた。

眠っている間も脳は考え続けている。

僕は何かを見落としている。

たとえば、ここ数日僕が抱え続けている違和感の正体について。

その違和感がピークに達したのは昨日、少女が口にしたある言葉を聞いたときだ。

『あなたのいう通り、復讐なんて無意味ですからね』

僕はその言葉を待ちわびていたはずだった。少女が復讐に消極的になるのは、僕にとって喜ばしい事態であるはずだった。

はずだった、のだ。

それではなぜ、僕はあれほど強烈な失望を覚えなければならなかったのか？

その答えは比較的すぐに出てくる。おそらく僕は、彼女の口から弱気な言葉を聞きたくなかったのだ。こうまであっさりと、自分のしてきたことを否定してほしくなかった。あれだけの熱意を、激情を、簡単に捨ててほしくなかった。怒りの化身のように振舞う彼女は、僕にとってある種憧れの存在だったのだ。

しかし本当にそれだけだろうか、という声が聞こえる。

それだけさ、と僕は答える。僕は少女から感じられる、自分の内側からは決して湧くことのない強烈な熱気にいつまでも触れていたかったんだ。

違うな、と声がいう。それは後づけの解釈に過ぎない。お前の失望は、もっとシンプルな理由に端を発している。自分を欺くな。

途方に暮れる僕に、溜息を吐く音が聞こえる。

そうだな。一つ、ヒントをやろう。最初で最後だ。これでわからないというのなら、もう何をいっても無駄だろう。

一度しかいわないぞ。

「お前が感じている〈熱〉は、本当に彼女からのみ発されていたものなのか？」

以上だ。

瞼を閉じて、もう一度考える。

どこからか懐かしい花の匂いがする。

僕は進藤に感謝する。

違和感の正体に気づく。

夜中に飛び起きた。心臓が暴れていた。喉の奥から込み上げてくるのは吐き気ではなく今すぐ叫び出したいという衝動だった。

頭が冴え渡っていた。まるで十余年の眠りから覚めたようだった。立ち上がったときにＣＤケースを踏んで中身が割れる音がしたが、そんなことを気にしている場合ではない。流し場で水道水をグラスに注ぎ一気に飲み干すと、リビングに戻って照明をつけ、毛布を口元まで上げて眠っている少女を揺り起こした。

「何ですか、こんな時間に」少女は枕元の時計を薄目で確認した後、明かりから逃げるように毛布を被った。

「次の復讐に向かおう」毛布を剝ぎ取り、僕はいった。「時間がないんだ。起きて、支度をしてくれ」

少女は剝がされた毛布を再び引き寄せ、両腕で抱き締めた。「朝になってからでいいじゃないですか」

「違う」被せるように僕はいった。「今すぐじゃなければ駄目なんだ。明日になったら、君はもう、復讐者ではなくなってしまっている気がする。そんなのは嫌なんだ」

少女は寝返りを打って僕に背を向けた。

「……どうしてあなたがそこまで熱心になるのか、わかりませんね」と彼女はいった。

「私が復讐者でなくなった方が、あなたにとっては色々と都合がよいのでは？」

「僕もそう思っていた。でも、二日間じっとしている間に考えが変わった。本心に気づいた、という方が正確かもしれない。つまりこういうことだ。僕は君に、無慈悲な復讐者でいてほしいんだ。賢明な選択なんて、してほしくない」

「いっていることが以前と正反対じゃないですか。復讐なんて無意味だといったのはあなたの方でしょう？」

「そんな昔のことは忘れたよ」

「それに」少女は背中を丸め、より強く毛布を抱き締めた。「次の復讐相手を殺害し終えたら、その次はあなたなんですよ？」

「ああ。でも、だからどうした？」

「あなたは、その、そこまでして私の機嫌を取りたいんですか？」

「いや、〈点数稼ぎ〉は関係ない」

「じゃあ、頭がおかしくなったんですね」少女は吐き捨てるようにいった。「私は寝ます。あなたも寝て、頭を冷やしてください。朝になって気持ちが落ち着いたら、もう一度そのことについて話しあいましょう。……明かり、消しておいてください」

僕は考える。どう説明すれば彼女にわかってもらえるだろう？

ソファに腰を下ろし、しっくりくる言葉が湧いてくるのを待った。

「思えば、一人目への復讐の時点から、予兆はあったんだ」

慎重に、言葉を紡ぐ。

「彼女を殺したとき、君は腰を抜かして動けなくなってしまったじゃないか？　あのときは正直、『何て弱虫な殺人鬼だろう』と思ったよ。……だがよく考えてみると、おかしいのは君ではなく、僕の方だったんだ。君の反応が正常で、僕の反応が異常だった。人の死を目の当たりにしておきながら、どうしてあれほど冷静でいられたんだろう？　腰を抜かすとまではいかなくても、不安で夜眠れなくなるくらいの反応はあってもいいはずなのに」

少女は何もいわなかったが、僕の声に耳を澄ましているようだった。

「二人目への復讐を終えても、僕はやはり嫌悪感も罪悪感も覚えず、平然としていた。代わりに別の、これまで経験したことのないような得体の知れない感情が湧いてくるのがわかった。そいつが殺人に対する負の印象を覆い隠してしまったんだろう。三人目への復讐を果たす頃には、僕はその感情の正体にほぼ気づいていたように思う。しかし、はっきりと自覚したのは、つい今しがたのことだ」

少女は痺れを切らしたように起き上がり、不可解そうにいった。

「ねえ、一体何の話をしているんですか？」

僕は何の話をしているのか？

恋の話だ。

「僕は、君に恋をしているんだと思う」

それは、世界を凍りつかせるに十分な言葉だった。

部屋中のあらゆる隙間から空気が抜けていき、真空の静寂が訪れた。

「……はい？」

長い沈黙の後、ようやく少女が声を発した。

「そんな権利がないのはわかっている。自分が、この気持ちを抱くのに最も相応しくない人間だということも知っている。図々しいにも程があると思う。何せ、僕は君の命を奪った人間なんだ。だが、それを承知でいう。僕は君に恋をしているらしい」

「意味が、わかりません」少女は俯き、何度も首を横に振った。「寝ぼけてるんですか？」

「逆だ。寝ぼけていたんだ、二十二年間。いまさら目が覚めた。少し、遅すぎたな」

「何から何まで解せません。どうしてあなたが私に恋をしなければならないんですか？」

「君が初めて、僕の前で人を殺したとき」と僕はいった。「ブラウスを返り血に染めて、凶器の鋏を持ったまま死体を見下ろしている君を見て、思ったんだ。『ああ、綺麗だな』、って。……初めのうち、僕は自分がそういう感情を抱いたことを気にも留めなかった。でも今になって気づいたんだ、それが僕の人生における、空前絶後の大事件だということに。誰かに見惚れたりするのは、考えてみれば、生まれて初めての経験だった。とうに願うことも望むこともやめたはずの僕が、『あの瞬間にもう一度立ち会いたい』と思った。それくらい、復讐する君の姿は、圧倒的に美しかったんだ」

「適当なことをいわないでください」

少女が枕を投げつけてきたが、僕はそれを受け止めて床に落とした。

「そうやって機嫌を取って、点数を稼ぐつもりでしょう？ 騙《だま》されませんよ」少女は僕を睨みつけた。「気に入りません。私が一番嫌いなやり方です」

「嘘じゃない。信じられないのはわかる。本人が一番困惑しているくらいだ」

「聞きたくありません」

そういって少女は両耳を塞ぎ、目を閉じた。僕はその両手首を摑み、強引に引き剝がした。

間近で目があう。

一拍置いて、少女が俯き視線を逸らした。

「いいか、もう一度いうぞ」と僕はいった。「復讐する君は美しい。だから、頼むから、復讐が無意味だなんていわないでくれ。そんな出来あいの、ありきたりな結論に落ち着かないでくれ。少なくとも僕にとって復讐は有意義だ。美しいということは、それだけで何よりも価値のあることなんだ。僕は、君が一人でも多くの相手に復讐を果たすことを願っている。たとえその中に、僕自身が含まれていたとしても」

手が振り払われ、思い切り胸を突き飛ばされた。そのまま仰向けに倒れる。

拒まれて当然だよな、と僕は天井を見上げながら思った。自分を殺した人間に突然「君に恋をした」などといわれて、それを受け入れる人間がどこにいる？

そもそも、こんなに多くを語るつもりはなかった。最初はただ、「君の復讐に共感した、それは正しいことだから、ここでやめてほしくない」程度の内容で済ませるつもりだったのだ。何が〝恋をしているらしい〟だ？　二十二年間その手の感情とまともに向きあってこなかった人間が、五、六歳ばかりも年下の腰抜けの殺人鬼を前にして、ストックホルム的に錯乱しているだけじゃないのか？

僕の吐いた溜息は、差し出された少女の手にかかる。

おそるおそる手を伸ばすと、向こうの手がそれをがっちりと摑み、僕は引き起こされる。

以前にもこんなことがあったな、と僕は思い出す。

あのときは、酷い雨が降っていた。

少女は僕の手を握ったまま、長い間沈黙していた。〈私は何をしているのだろう？〉

という顔だった。繋がれたままの手を見つめ、無意識に出てきたその行為が何を意味するのか、懸命に考えているようだった。

ふと、彼女の指から力が抜け、すっと離れていった。

「さあ、早く支度をしてください」少女はいった。「今なら終電に間にあうかもしれません」

唖然として突っ立っている僕を見て、少女はしたり顔をした。

「どうしました？　復讐する美しい私が好きなんでしょう？」

「……ああ、そうだ」

やっとのことで、僕は答えた。

「理解に苦しみますね」少女はありったけの嘲りを込めていった。「大体、あなたなんかに好かれても嬉しくありません」

「構わないよ。君には僕以外に頼れる人間がいないから、いくら嫌われようと傍にいてもらえる」

「その通りですね。大変不本意です」

そういって少女は僕の足の甲をぐりぐりと踏んだ。でも痛みを感じるほどの強さではなかったし、裸足同士が触れあう感触はすべすべとして心地よく、それはある種の動物が仲間に親愛の情を示す際に用いるやり方に似ていなくもなかった。

　外は既に冷え込んでいるようだったので、僕たちは冬物のコートを着て部屋を出た。アパートの軒下に止めてあった、見知らぬ住人の所有物であろう錆びた自転車を無断で拝借し、荷台に少女を乗せ、立ち漕《こ》ぎで駅までの道のりを飛ばした。ハンドルを握る手はたちまち凍え、乾いた風に晒された眼球が痛んだ。冷気に晒された小指の傷が疼《うず》いた。

　長い坂を上った先には駅まで続く細い下り坂がある。寝静まった住宅街に、きいきいと軋むブレーキの音を響かせて走った。スピードが出てきて危険を感じたのか、少女は僕の背中にしがみついた。たったそれだけのために、僕はこの坂道がいつまでも途切れることなく続けばいいと思った。

第8章　彼女の復讐

結論からいうと、それから僕たちは、最初の三人を含め、締めて十七人の命を奪った。四人目の復讐相手、少女の元担任教諭である、現在は胃癌との闘病生活を送る六十代の男を殺害した後、「いけるところまでいってみましょう」と少女がいい出した。それで、当初予定に入れていなかった、彼女が深い怨みを持っている十三人が新たに復讐対象に加えられることになった。

関係性でいえば、中学時代の知人が七人、高校時代の知人が四人、教師が二人、その他四人。男女比でいえば、女が十一人、男が六人。殺され方でいえば、あっさり殺されたのが八人、逃げたのが四人、説得しようとしたのが二人、抵抗したのが三人。そのような結果になった。

すべてが順調に運んだわけではない。それどころか、僕たちは何度も何度も失敗した。十七人目の殺害までに、五度復讐相手に逃げられ、四度警察に捕まり、二度大怪我を負った。だが、いずれも少女が〈なかったこと〉にしてしまった。アンフェアなやり方だ。僕らはあらゆる責任を放棄して、勝手の限りを尽くした。

先程から僕は数字ばかり並べているように見える。だが十七人の殺害の手助けを終えた僕にいわせれば、これがもっとも実感に即した説明の仕方なのだ。四、五人目が済んだ辺りから、復讐相手の一人一人は数字でしかなくなった。

印象に残る相手がいなかったわけではないが、僕にとって重要なのは誰が殺されたかではなく、復讐時における少女の一挙一動だった。怨みが根深ければ根深いほど、流れる血の量が多ければ多いほど、彼女の抵抗感が大きければ大きいほど、復讐は輝きを増した。その美しさだけは、何度繰り返されようと色褪せなかった。

十一人目を亡き者にした時点で、事故の〈先送り〉の期限であるはずの十日はとっくに過ぎていた。だが十五日目を迎えた今でも、その効力はまだ辛うじて維持されているようだった。本人もそれを不思議がっていた。復讐を続けるうちに生まれた「まだ死ぬわけにはいかない」という強烈な意思が〈先送り〉の期限を引き伸ばしたのだと、僕は考えている。

楓の赤に染まった林の中で十七人目の殺害を終えたとき、少女は僕の両手を取り、落ち葉の舞う中をからくり時計の人形みたいにくるくる回った。その無邪気な笑顔を見て、僕はようやく自分のしでかしたことの重大さを理解できた気がした。

〈先送り〉が解除されたとき、この笑顔は永久に失われてしまうのだ。

それは世界から色が一つ失われてしまうのとの同じくらい、致命的な損失に思えた。

——取り返しのつかないことをしてしまったんだな。

ここにきて、やっと僕は人並みに胸を痛めることができた。

溢れる喜びを表現し終えた少女は、我に返ったのか気まずそうな顔で手を離し、

「喜びをわかちあう相手が、あなたしかいないものですから……」と取ってつけたようにいった。

「その一人でいられたことを幸運に思うよ」と僕はいった。「これで、十七人目だな？」

「ええ。残るは、あなた一人です」

十七体目の死体の上に乾いた落ち葉が積もっていく。つい数分前まで息をしていた背の高い鷲鼻《わしばな》の女は、少女の姉と共に少女に暴力を振るっていた連中の一人だった。仕事帰りを尾行し、一人になったところで声をかけた。自分が過去にいたぶった相手のことなど覚えていない様子だったが、少女が鋏を取り出した瞬間、危機を察知して逃げ出した。その勘の鋭さから、初めは厄介な相手かもしれないと思ったが、自分から林に逃げ込んだのは間抜けとしかいいようがなかった。僕らは周りの目を気にせず女の殺害に専念できた。

一つ惜しいと感じたのは、すっかり殺しに熟練した少女は、もはや返り血を浴びた

り反撃を受けたりすることがなくなってしまっていたという点だ。鮮やかな手つきでこれ以上ないほど正確に標的を刺し殺す姿も美しかったが、傷つきくたびれ汚れきった彼女が見られなくなったのは少し寂しかった。

「復讐相手がいなくなったとき、私には〈先送り〉を続けられるほどの強い意思は残されていないと思います」と彼女はいった。「つまり、あなたの死は、私の死をも意味するということです」

「いつにするんだ？」

「無闇に延ばしても仕方ないですからね。……明日、あなたに復讐します。それで、全部お終いです」

「そうか」

木々の隙間から西陽が差し込んできて、僕は目を細めた。足元の落ち葉の色とあいまって、林の中はこの世の終わりみたいに真っ赤に染まっていた。そして現に、少女の世界の終わりはすぐそこまできていた。


二人で食べる、最後の夕食だった。記念日を祝うような店での食事を提案したが、少女はそれを却下した。「堅苦しい場所は嫌いですしマナーも知りませんから」と彼女はいった。「最後の食事なのに緊張して味がわからないなんて嫌ですからね」

まったくその通りだ。結局、いつものファミリーレストランでステーキを頼み、ソフトドリンクみたいな薄いワインで乾杯した。表情が大人びているからか、それらしい服を着せれば少女は大学生にしか見えず、店員は彼女の飲酒を特に咎めようとはしなかった。

食後のモンブランをついばみながら、少女はいった。

「私、モンブランって初めて食べるんです」

「感想は？」

少女は渋い表情を作った。「今さら知りたくありませんでしたね、こんなにおいしいものがあるなんて」

「気持ちはわかる。僕も、好きな女の子ととる食事がこんなに楽しいなんて今さら知りたくなかった」

少女は窘《たしな》めるようにテーブルの下で僕の脛を軽く蹴った。腹を立てたわけではなく、彼女が酔うとやたらと不器用な触れあいを求めてくるだけだということは、この十五日間の経験からわかっていた。

「いいじゃないですか。あなたの場合、〈先送り〉が解除されれば忘れられるんですから」

「忘れたいわけじゃない。もっと早く知りたかったんだ」

「あなたが悪いんですよ。飲酒運転なんかするから。馬鹿ですね」

「ごもっとも」と僕は同意した。

少女は不機嫌そうな顔でテーブルに肘をつき、ワインを無意味にくゆらせた。「服を買う楽しさも、髪を切ってもらう楽しさも、娯楽施設で遊ぶ楽しさも、お酒を飲む楽しさも、ピアノを連弾する楽しさも、何もかも、私は全然知りたくなかったんです」

「ああ、どんどん怨んでくれ。君は明日、その怨みで僕を殺すんだ」

「……安心してください。復讐は絶対に完遂します」少女はワインを軽く口を含み、時間をかけて飲み込んだ。「何といってもあなたは、私の人生を終わらせた人間ですからね。あなたにどれだけお世話になろうと、こればかりは覆りません」

「ならいい」

悩む段階は数日前に過ぎていた。今はただ、彼女に鋏で刺されるその瞬間が楽しみだった。想い人に殺されるのは悲しいことだったが、形はどうあれ彼女の頭の中が僕一色に染まると考えると、それほど悪い感じはしなかった。

僕が甘んじて殺されるのは、少女への償いのためではない。人殺しの手伝いをしてきた責任を取るためでもない。僕はただ、彼女に一人でも多くの人間に復讐を果たしてほしくて、その最後の一人に自分の身を捧げるというだけだ。

そして、正確にいえば僕は死ぬわけではない。事故の〈先送り〉の期間中、一時的に死んだことになるだけだ。正しい世界線——この言い方もまた正確ではないが、映画や本でその手の文法に慣れた僕にはしっくりくる——では既に少女が死んでいるため、僕を殺す〈猫の爪〉は存在しない。向こうの僕が自殺をしているというのでもない限り、僕は生き続ける。

ただしそうやって生き続ける僕は、生前の少女を知らない〈僕〉だ。

それが、一人を事故死させ、十七人の殺害に加担した者に下される罰なのだろう、と不遜な僕は考える。

「君に一つ訊きたいんだけれど」

「はい？」少女は小首を傾げた。

「もし僕らの出会いがあんな形じゃなかったら、どうなっていたと思う？」

「……さあ。考えるだけ、無駄でしょう」

それでも僕は想像せずにはいられない。もし僕が少女を轢かずに済んでいたら？

時間はあの日の夜まで遡る。スーパーで酒を買って飲んだ後で再び車を走らせ始めた僕は、ハンドル操作を誤ってタイヤを側溝に落としてしまい、そこから動けなくなる。携帯電話も持ってきていなかったので、雨の中、助けてくれる親切な車を待ち続ける。

そこに少女が現れる。どうしてこんな時間に女子高生が、こんな雨の中を傘も差さずに一人で歩いているんだろう？　不思議に思いつつも、僕は彼女に声をかける。「なあ、携帯電話を貸してくれないか？　この通り、車が動かなくなってしまったんだ」少女は首を横に振る。「携帯電話、持っていないんです」「そうか、参ったな……それはそうと、君、寒くない？」「寒いです」「僕の車で温まっていかないか？」「嫌です。怪しいから」「僕から見たら、こんな真夜中に傘も差さずにひと気のない道を歩いている君だって相当に怪しい。大丈夫、変なことはしないよ。怪しい者同士、仲よくしようじゃないか」少女は逡巡《しゅんじゅん》した後、無言で助手席に乗り込む。二人で並んで眠る。

朝陽を浴びて目を覚ます。軽トラックがクラクションを鳴らしている。牽引《けんいん》ロープで側溝から引き上げてもらう。僕らは軽トラックの運転手に礼をいう。「さて、まずは君を家まで送ろう。それとも学校の方がいいかな？」「もう間にあいそうにありません。あなたのせいで」「そうか。悪いことをしたな」「学校はもう諦めたので、適当にそこら辺を走ってください」「ドライブしよう、ってことか？」「適当にそこら辺を走ってください」

一日中田舎道をドライブした後、少女と別れる。妙な一日だったな、とくすくす笑う。数日後、僕と少女はまた偶然出会う。僕が車を停めると、登校中の彼女は無言で助手席に乗り込む。「さあ、今日はどうやって一日を台なしにする？」「適当にそこら辺を走ってください、誘拐犯さん」「誘拐犯？」「じゃあ、不審者さん」「それよりは誘拐犯の方がいいな」「でしょう？」

そうやって毎週のように僕たちは会うようになる。素敵な気晴らしの手段を得た僕らは、互いを利用して勝手に病を快復させていく。数年が経ち、少女は何とか高校生活をやり過ごして卒業し、僕は社会復帰してフリーターとして働いている。二人は今でも金曜の夜になるとドライブに出かける。「遅いですよ、誘拐犯さん」「待たせたね。さあ、いこう」

何とも馬鹿げていて、理想的な関係だ。でも仮にそういう出会い方をしていたら、彼女と親密にはなれたかもしれないが、彼女に恋をすることはなかっただろう。復讐につきあうことで、僕は少女と深いところでわかりあえた気がするのだ。それは一方的な思い込みかもしれないけれど。

その夜、下腹部の圧迫感で目を覚ますと、誰かが僕の上に跨っていた。寝ぼけて焦点があわない五感は、時間をかけて徐々に回復していった。

最初に戻ったのは、聴覚だった。雨が屋根を叩く音が聞こえた。次が触覚だ。背中や後頭部に硬い感触があった。ソファからずり落ちて床で寝ていたようだ。

そして首筋には尖ったものが突きつけられていた。それが洋裁鋏であることは考えを巡らすまでもなかった。彼女のいう〝明日〟は日付が変わった瞬間という意味だったようだ。

暗闇に目が慣れてきた。寝間着を着ていたはずの少女は、いつの間にか制服姿になっていた。

それがわかった途端、不思議と、「ああ、これで終わりなんだな」という実感が湧いてきた。

何もかもが元に戻ろうとしている。

そんな気がした。

「起きてますか？」

少女はか細い声でいった。

「ああ」と僕は応じた。

瞼は閉じなかった。彼女が復讐を成就する様を、この目で最後まで見届けたかった。

暗闇で少女の表情は読み取れなかった。ただ、呼吸の様子や声の調子からいって、喜びに打ち震えたり怒りで歪んだりしているわけではなさそうだ。

「あなたにいくつか質問をします」と少女はいった。「最後の、確認です」


突風が吹き、アパート全体が揺れる。

少女は一つ目の質問をする。

「あなたは自身の犯した罪を償うため、ここ十五日間、私の手伝いをしていた。そうですね？」

「大筋ではそうだ」と僕は答えた。「結果として、罪を増やすことになったが」

「あなたは私の復讐する姿に恋をした、といいましたね。それは本当ですか？」

「本当だ。何度いっても君は信じてくれないようだけれど……」

「〈はい〉か〈いいえ〉以外の答えは求めていません」と少女は遮った。「あなたは罪の償いという目的以前に、一人でも多くの相手に復讐をしてほしいという理由で、私に殺されたがっている。そうですね？」

「そうだ」

厳密にいえば殺されたいわけではないのだが、どちらかといえば〈はい〉寄りだろう。

「なるほど」

少女は納得した様子だった。

僕の誤算は、彼女がしてきたそれらの質問が、殺人を正当化するため、これから手にかける相手自身がその結末を望んでいたのだという言質を取るために行われていると勘違いしていた点だった。〈はい〉と答えれば答えるほど、彼女の復讐の背中を押すことになるのだと僕は思っていた。

質問が途切れた。さあいよいよだぞ、と僕は胸を高鳴らせる。意識が冴え渡り、視覚に限らずあらゆる感覚の解像度が飛躍的に向上する。鋏の先端から少女のかすかな感情の揺れさえ伝わってくる気がする。少しずつだが確実に、そこからは迷いが消えていく。彼女の心に確信が宿り始めているのがわかる。ほんの数ミリだが、切っ先が前進する。痛覚への刺激が僕の覚醒度を限界まで引き上げる。死への恐怖と美への期待が溶けあい脳内麻薬が溢れて洪水を起こし途方もない恍惚感に包まれ声を上げそうになる。体の芯がぞくぞくする。いいぞ、そのまま貫いてくれ、と僕は歓喜する。その鋏で何もかも終わりにしてくれ。二十二年間死に損なっていたリビングデッドに止めを刺してくれ。

暗くて少女の表情がよく見えないのが残念だった。僕の首から血が噴出したとき、彼女の顔を染めるのは喜びだろうか。怒りだろうか。悲しみだろうか。空しさだろうか。あるいはまるっきり無表情か——

「あなたの考えは、よくわかりました」

そう、少女がいった。

「ですから、私はあなたを殺しません。殺、し、て、あ、げ、ま、せ、ん」

首筋から、鋏が離れていった。

何が起きているのか、よくわからなかった。

「おい、どうした？　今さら怖気《おじけ》づいたのか？」

挑発するようにいったが、少女は意に介さず、鋏をベッドに放り投げた。

「だって、こんなに殺されたがっている人を殺しても、復讐にならないじゃないですか」と彼女は僕に跨ったまま いった。「あなたの唯一にして最大の望みを、叶えさせない。……それが、私の復讐です」

ここにきて僕はようやく〝最後の確認〟の意味を理解する。

彼女が確かめようとしていたのは、殺人の正当性ではなかった。

その行為がどれほど無意味であるか、確かめようとしていたのだ。

「……それで、君の復讐が果たされたことになるというのなら」と僕はいった。「なぜ君の〈先送り〉は解除されない？」

「まだ、実感が湧いていないだけです。心配しなくともちゃんと死にますよ。意思の残滓《ざんし》が燃え尽きるまで、そう時間はかからないはずです」

少女は気だるそうに立ち上がり、ブレザーの襟を正しスカートの皺《しわ》を伸ばすと、僕に背を向けて玄関の方へ歩いていった。起き上がって追いかけたかったが、僕の脚は動こうとしなかった。床に横たわったまま見送ることしかできなかった。

少女はドアの前までいったところで、ふと何かを思い出したように足を止めて振り返り、引き返してきた。

「一つだけ、お礼をいわなければなりません」と彼女は囁くような声でいった。「こんなに傷だらけの体の私を、あなたは『美しい』といってくれました。どこまで本気か知りませんけど……それでも、とても、嬉しかったです」

少女は傍らに膝をつき、片手で僕の両目を覆い隠す。もう片方の手は、顎に添えられる。
柔らかい髪が、僕の首筋に落ちる。
人工呼吸でもするみたいに、彼女の唇が、僕の唇をそっと包み込む。
どれくらいの間そうしていたかわからない。
唇が離れ、目隠しが解かれる。
彼女は部屋を出ていった。
さよならの代わりに、「ごめんなさい」といい残して。

十数日ぶりに空いたベッドに寝転び、目を閉じる。枕元を手で探り、少女が投げ捨てた鋏を掴む。顎の下に切っ先を当て、呼吸を整える。正しいやり方を調べる必要はない。どこをどう刺せば血が噴き出るのか、何分ほどで死に至るのかについては、彼女が飽きるくらい手本を見せてくれた。
脈動が刃を伝わってくる。一定のリズムで刻まれるそれが僕の心を落ち着かせていく。人間が死ぬときに最後まで残るのは聴覚だという話を不意に思い出す。他の感覚が死んでも、聴覚だけは死の直前まで働くそうだ。今僕が自らの手で頸動脈を貫いたら、薄れゆく意識の中、雨の音だけが聞こえ続けるのだろう。

一旦鋏を置き、枕元のCDプレイヤーを弄る。人生の最後を飾る音くらいは自分で決めたい。死を悼むような悲しげな曲よりも、場違いな喧《やかま》しい曲をかけて白けるくらいの方が、僕の死には相応しそうに思えた。リバティーンズの『キャント・スタンド・ミー・ナウ』を大音量でかけ、再びベッドに身を投げ出して鋏を握った。

そのまま立て続けに三曲聴いてしまった。思いがけず僕は音楽を楽しんでしまっていた。おいおい、いい加減にしろよ。このままじゃアルバム一枚を丸々聴き通しちまうぞ。で、「次のアルバム」か？

いいか、次の曲だ。次の曲が終わったら、今度こそこの馬鹿げた人生に片をつけるんだ。

しかし四曲目があと数秒で終わるというところで、玄関のドアを叩く音が聞こえた。無視して曲に耳を澄ませているとドアが乱暴に開けられる音がした。僕は渋々鋏を枕の下に隠し、照明をつけた。

無断で部屋に上がってきた美大生は、CDプレイヤーの停止ボタンを押した。

「近所迷惑」と彼女はいった。

「音楽性の違いでしょう」と僕は冗談めかしていった。「それで、替えのCDは持ってきたんですか？」

美大生は部屋を見回し、それから訊いた。

「あの子は？」

「出ていきました。ついさっきね」

「この雨の中？」

「ええ。愛想を尽かされたんです」

「へえ。それは気の毒に」

美大生は煙草を取り出して火をつけ、僕にも一本差し出した。受け取って咥え、火をつけてもらう。進藤が吸っていたものと同じくらい桁違いにタール数の高い煙草で、危うく咳き込みそうになった。彼女の肺はとうに真っ黒に違いない。

「灰皿はどこ？」と彼女が訊いた。

「空き缶です」僕はテーブルの上を指差した。

一本目を吸い終えると、彼女はすかさず次の煙草に火をつけた。

美大生は何かいいたいことがあってきたのだろう、と僕は思った。騒音に対する苦情は大義名分に過ぎない。いつだったか、いっていた。本当に思ったことだけは、言葉にするのが死ぬほど苦手なのだ、と。

今、彼女は必死に考えてくれているのだろう。僕に何か、大切なことを伝えるために。

三本目を吸い終えたところで、ついに彼女はいった。

「私が君のよき友人だったら、『今すぐあの子を追いかけなさい』なんていうんだろうね。『そうしないと、一生後悔する羽目になるよ』とかさ。でも私は狡賢《ずるがしこ》い女だから、それを口にしないんだ」

「なぜです？」

「さあ。なぜでしょう？」

それから彼女は脈絡なく、「もう、冬も近いね」と煙に乗せていった。

「あのね、私、南の方の生まれなの。そこでは、雪が降ることはあっても、翌日まで残っていることは稀《まれ》だったんだ。だからこの町で初めて冬を迎えたとき、びっくりした。一度雪が積もってしまうと、春まで地面が見られないんだね。それに、雪って軽くてふわふわした真っ白なものっていうイメージがあったから、積もった雪がうんざりするほど重いこととか、凍った歩道を歩くのには恐ろしく神経を使うこととか、排気ガスを浴びた雪が火山岩みたいになることとか、そういうのにはちょっとだけ失望したな」

突然何の話を始めるんだ、とは思わなかった。

これは、不器用な彼女なりの、精一杯の表現なのだ。

「でもやっぱり、夜中に雪がたくさん降って、翌朝除雪車の起こす揺れで目を覚まして、曇った窓を開けて住宅街を見下ろしたときの光景は、いつ見てもよいものだね。世界が真っ白に塗り替えられた、って感じがする。逆に、夜中に外から帰ってきて、がたがた震えながら温かくて砂糖がたっぷり入ったコーヒーを飲む、みたいなのもいいなあ」

彼女はそこで口を噤んだ。

「……私にいえるのは、そこまで。それでもあの死神のところにいくっていうなら、後はもう、止めはしない」

「はい。ありがとうございます」

「まったく、君といい、進藤くんといい、どうして私が仲よくなった男の人たちはすぐにいなくなっちゃうのかな？」

「あなたの魅力は、死を意識し始めた人にしかわからないんですよ」

「それ、あんまり嬉しくないなあ」彼女は複雑そうに笑った。「ねえ、ずっと訊きたかったんだけれど、君が私の手さえ握ろうとしてくれなかったのは、単に私に興味がなかっただけ？　それとも亡くなった進藤くんへの礼儀？」

「どうでしょうね。自分でもよくわからないんです。あいつに勝てるはずがない、と最初から諦めていたのかもしれません」

「……嬉しい答えをありがとう。ちょっとだけ、救われたよ」

　そういうと、彼女は左手を差し出してきた。右手でないのは、僕の怪我を気遣ってのことだろう。

「最後なんだから、握手くらいはしてくれるよね？」

「ええ。喜んで」

　僕も左手を差し出した。

「さようなら。ええと……」

「三枝《さえぐさ》」と彼女はいい、僕の手を握った。「三枝栞《しおり》。まともに名乗るのは初めてだね、湯上瑞穂くん。私はそういう無責任な関係が好きだったよ」

「今までお世話になりました、三枝さん。僕も、あなたとの関係が心地よかったです」

　彼女はあっさりその手を離す。僕も名残《なごり》惜しんだりせず、彼女に背を向ける。

　コートのボタンを留め、ブーツの紐をきつく締め、傘を携えてドアを開ける。

「君がいなくなると、寂しくなるね」

背後で三枝さんがそう呟くのが聞こえた。

少女のいきそうな場所を手当たり次第に回る、というのが定石だろう。しかしその必要はなかった。彼女の向かう先には心当たりがあった。手がかりはいくつも残されていたのだ。

思いついた順にそれを並べる。

一つ目の手がかりは、列車に乗ろうと切符を買ったときに発見した。財布が弄られた形跡があった。カードの並びが変わっていたのだ。それが少女の仕業であることは考えるまでもない。

残り時間を過ごすために必要なだけの金を持っていこうとしたのだろう、と最初は考えた。しかし中身を再確認してみると、現金は一円も減っておらず、キャッシュカードやクレジットカードもそのままだった。様々な可能性を検討し、僕はこのような結論に至った——彼女は僕の所持品に含まれる〈あるもの〉を探して、それが見つかる可能性の高い財布を調べたのだ。

二つ目の手がかりは、少女が去り際にいった〈ごめんなさい〉だ。自分を殺した相手に向かって発された〈ごめんなさい〉。それは何についての謝罪だったのだろう？

その直前の〈ありがとうございます〉については、彼女はきちんと説明してくれた。

『こんなに傷だらけの体の私を、あなたは「美しい」といってくれました。どこまで本気か知りませんけど……それでも、とても、嬉しかったです』

だが〈ごめんなさい〉についての説明はなかった。あえて語るまでもないと考えた、というわけではなさそうだ。現にこうして僕が頭を抱えているのだから。

彼女にはそれを説明できない事情があったのかもしれない。けれどもせめて最後に気持ちだけは伝えておきたかった。それゆえの、たった一言の〈ごめんなさい〉だったのではないだろうか。

三つ目の手がかりは、四日前まで遡る。少女がシャワーを浴びている間、霧子に向けた〈出せない手紙〉の続きを書こうと思いヘッドボードの抽斗を開けると、書きさしの便箋が消えていた。そのときは特に気にも留めなかったが——あの手紙が少女に読まれてしまったことは間違いないとして——なぜ彼女は、手紙を元の場所に戻さなかったのだろう？

整頓という概念がなくなるほど質素な僕の部屋において、物を失《な》くすことはまず不可能だ。だがあれ以来、結局僕は一度もあの便箋を目にしなかった。少女が僕への嫌がらせに便箋をCDケースの中や本の間に隠したりごみ箱に捨てたりしたのでないとすれば、残る可能性は一つ。

彼女はまだその手紙を持っているのだ。

ここまで考えて、僕は改めて少女と出会ってからの日々を振り返る。

それは簡単なパズルだった。

僕の記憶は、歪められていた。

なぜ少女は〈秋月〉という苗字を嫌悪していたのだろう？

なぜ彼女のいう〈同級生〉には高校生と大学生が混在していたのだろう？

そもそも彼女はなぜ、僕に轢かれたあの日、あんなひと気のないところを傘も差さずに一人で歩いていたのだろう？

どうしてこんな簡単なことに今まで気づかなかったのだろう？

少なくとも手がかりのいくつかは——それが意識的にせよ無意識的にせよ——少女の手によって残されたのだと思う。隠そうと思えば隠せたはずなのに、財布の中身を引っ繰り返した痕跡をあえて残したこと。去り際にいった〈ごめんなさい〉。真実に繋がる糸の最後の一本だけは、切り離さずにおいてくれたのだ。

あのとき三枝さんがドアを叩いてくれなかったら、僕はそれを知ることもないまま鋏を喉に突き刺していただろう。彼女に感謝しなければならない。思えば、僕は最後の最後まで三枝さんに助けられてばかりだった。でも別れ方を後悔してはいない。僕らの関係には、あのようなあっけらかんとした終わりが相応しいのだ、きっと。

車がないので、目的地までは列車を一本、バスを三本乗り継いでいった。三台目のバスは途中で渋滞に引っかかった。雨で事故が起きたらしく、消防車やパトロールカーが対向車線を逆走していくのが見えた。僕は運転手に急いでいる旨を伝え、その場で清算を済ませてバスを降り、そこからはひたすら渋滞した自動車の列に沿って歩き続けた。

ゆるやかな坂を下った先は数百メートルに亘《わた》って冠水しており、一番深いところでは膝まで水に浸かることになった。こうなってしまっては長靴だろうと役に立たない。きつく紐を結んだブーツの中に雨水が入ってくる。濡れた衣服が体温を奪う。冷えと気圧で指の傷が痛み始める。横殴りの風のせいで、傘は気休め程度にしかならない。そのうち突風が吹いて、咄嗟に柄を握る手に力を入れた途端、傘の骨が何本か折れてしまった。使いものにならなくなったそれを道端に放り投げ、目を開けていられないほどの雨の中を歩いた。

二十分ほど歩いたところで、ようやく冠水箇所を抜けた。横転した中型トラックと大破したワゴン車を何台もの緊急車両が囲んでいた。回転する警光灯が雨粒や濡れた路面を照らし、辺りを真っ赤に照らしている。渋滞の後方から短いクラクションが響く。角を曲がったところで、片手で傘を差して運転している男子高校生に轢かれそうになる。すんでのところで向こうが僕に気づき、急ブレーキをかけタイヤを滑らせて転倒した。大丈夫かと声をかけたが、無視して走り去っていった。

後ろ姿を見送り、再び歩き始める。

あとどのくらい歩けば少女のいる場所に辿り着くのか、僕は正確に知っていた。

ここは僕の生まれ故郷なのだ。

公園一帯が冠水し、雲の切れ間から差し込む朝陽で煌めいていた。園内に一つしかない小さな木製のベンチは水上に浮かんでいるかのように見えた。

少女はそこに座っていた。当然、ずぶ濡れだった。制服の上に着ていたのは、僕の貸した紺のナイロンジャケットだった。ベンチの背には骨の折れた傘が掛けてあった。

じゃぶじゃぶと水溜りの中を歩いて背後から近寄り、両手で彼女の目を覆った。

「誰だと思う?」と僕は訊いた。

「……子供みたいなこと、しないでください」

　少女は僕の両手を掴み、そのまま自分の鳩尾の辺りに持っていく。引っ張られて前のめりになった僕が、彼女を背後から抱き締めるような形になる。

　少女は数秒で掴んでいた手を離したが、僕はその姿勢が気に入ったので維持することにした。

「思い出すな」と僕はいった。「事故を起こしたあの日、今の君が座っているベンチで、僕は一日中雨に打たれていた。人と、待ちあわせをしていたんだ。……いや、待ちあわせという言い方は正しくないな。僕が一方的に、霧子がくるのを待っていただけなんだから」

「何の話ですか？」

　少女が白を切っているだけだということを僕は知っていた。だからそのまま続けた。

「小学校六年生のとき、親の仕事の都合で、それまで通っていた小学校から転校することになった。最後の登校日、一人で帰宅しようとしていた寂しい僕に声をかけてくれたのが、その子、日隅霧子だったんだ。それまで僕たちはほとんど口をきいたこともなかったけれど、別れ際、彼女は僕と文通がしたいといい出した。多分、相手は誰でもよくて、ただ遠くにいる知りあいと手紙を出しあってみたかっただけなんだと思う。僕も断り辛くて引き受けただけで、最初は正直あまり乗り気ではなかった。……でも、やり取りを重ねるうちに、僕たちは互いの考え方が恐ろしいまでに一致していることに気づかされたんだ。二人は何について話しても意見があった。誰にも伝わらないであろうと思っていた感覚さえ、彼女は僕の意図した通りに理解してくれる。何の気なしに始めた文通が僕の生き甲斐になるまで、そう時間はかからなかった」

少女の体は冷たかった。雨の中、何時間もじっと座って僕が現れるのを待っていたせいだ。顔は青褪め、呼吸はかすかに震えていた。

「文通を始めてから五年を過ぎたある日、霧子が手紙に『直接会って、お話がしたいです』と書いてきた。嬉しかった。彼女は僕のことをもっと知りたいと、また僕に自分のことをもっと知ってほしいと思ってくれていた。その事実だけで、胸が一杯になった」

「……でも、あなたは彼女に会いにいかなかった」と少女がいった。「そうでしょう？」

「その通り。僕は霧子と会うわけにはいかなかったんだ。正確な時期は覚えていないけれど、中学生になってからすぐに、僕は手紙の中で嘘を吐くようになった。それも一つや二つの嘘じゃない。当時、僕の生活はあまりに惨めで、しかも味気なさ過ぎた。それをありのままに書いて、霧子に失望されたり哀れまれたりするのは嫌だった。だから、自分がどこまでも健全で充実した生活を送っているかのように偽装したんだ。そうしなければ、僕たちの文通はもっと早くに終わってしまっていたと思う」

　そこまで説明して、果たして本当にそうだったのだろうかと自問する。馴染めない中学での孤独な生活について手紙に綴ることが、文通が途絶えるきっかけになり得ただろうか？

　今となってはわからない。

「しかし、その必死の努力が仇《あだ》になった。せっかく世界で一番信頼している女の子が『直接会って、お話がしたいです』とまでいってくれているのに、それに応じたら、今まで吐いてきた嘘が無駄になってしまう。虚飾を取り除いた僕がどんな人間か知ったら、霧子は僕のことを嫌いになるだろう。そもそも何年にも亘って手紙に嘘を書いていたと知られた時点で軽蔑されるだろう、とも思った。泣く泣く、僕は霧子に会いにいくのを諦めた。手紙の返事も二度と出さなかった。何を書けばいいかわからなかったんだ。そうやって、僕と霧子の関係は終わった。……もっとも、五年も続けていた習慣を辞めるのは難しくて、その後も僕は未練がましく、投函する予定もない手紙を書いて自分を慰めていた。誰にも読まれることのない手紙は、少しずつ増えていった」

僕は少女に巻きつけていた腕を解き、ベンチの裏を回って彼女の隣に座った。

少女は鞄の中から何かを取り出して僕に差し出した。

「お返しします」

霧子に向けて書いていた、〈出せない手紙〉だった。

やはり少女が持ち出していたのだ。

「今の話を聞く限りでは」と彼女はいった。「事故のあった日、あなたがこのベンチに座って霧子さんを待っていたという話は成り立ちませんね」

「友人が死んだんだ。それがきっかけだった。高校以来のつきあいだった。気心の知れた友人で、僕が文通相手に嘘を吐き続け、それが露見しそうになって手紙を返すのをやめたことまで彼には話していた。そんな彼が、死の一月ほど前、僕にいっていたんだ。『お前は日隅霧子に会いにいくべきだよ』、と。それが僕の人生に好ましい影響をもたらすに違いない、と。彼が僕にそんな風に何かを勧めるなんて、滅多にないことだった」

そう、進藤は人に助言を与えたり悩みを聞いてやったりすることを嫌っていた。また助言を与えられたり悩みを聞かれたりすることも同様に嫌っていた。善意から出た行動であればたとえそれが思慮や分別に欠けたものであろうと好意的に受け取られる風潮を彼は憎悪していた。それは巨大な責任を伴う行為であって、確実に問題に対処できるという確信があるというのでもない限り、人は他人の人生に口を出すべきではないのだ──それが進藤の考えだった。

そんな彼が僕に助言らしい助言をするということは、彼なりに、強く思うところがあったのだろう。

「それで、五年ぶりに手紙を出してみようと思った。もしまだ僕を許す気があったら、僕たち二人が通っていた小学校の傍にある公園にきてくれ、と書いて送った」

脚を組もうとして片足を上げると、水溜りに波紋が生じ、足元の青空が揺らめいた。寒々しい木の枝とすべてを諦めたようにすっきりとした高い空は、冬が目前に迫っているのを感じさせた。

「一日中待ったが、霧子がこの公園を訪れることはなかった。無理もない話だ。あの後も何通か手紙は届いたのにすべて無視しておきながら、親しい友人が自殺して寂しくなった途端『あなたに謝りたい』なんて、虫がよすぎる。きっと彼女はもう僕のことを必要としていないんだろう。そう思うとやるせなかった。それで、つい酒に逃げた。公園からの帰り道、最寄りの店でウイスキーを買って飲んで、再び車を走らせた。そして、君を轢いてしまったんだ」

ポケットから煙草とライターを取り出す。オイルライターは問題なく火がついたが、湿った煙草は酷く渋い味がした。

「なるほど。経緯は、大体わかりました」と少女はいった。

「僕の話はここまでだ。次は君の番だ」

少女は両膝に手を添え、思いつめたような顔でペンキの剝げた滑り台を見つめていた。

「……ねえ、瑞穂さん」彼女は僕の名前を呼んだ。「事故があったその日、霧子さんがこの公園にきてくれなかった理由がわかりますか？」

「それを訊きにきたんだ」と僕はいった。

「私が思うに」と少女は予防線を張ってからいった。「霧子さんは、待ちあわせ場所に向かおうとはしたんです。ですが、その決心をするまでにはかなりの時間を要しました。今回は彼女の側に、あなたに会いにいけない理由があったんです。端的にいってしまえば、〈合わせる顔がなかった〉。一方で、五年間音沙汰なく、とっくに自分のことなど忘れてしまったと思っていた相手がまだ自分を求めてくれていたと知って、泣きたいくらい嬉しかったのも確かでしょう。両者を天秤《てんびん》にかけて悩み抜いた挙句、霧子さんは瑞穂さんに会いにいくことを決意しました」

彼女はそれを可能な限り単調に語っているように見えた。まるで感情的になるのを拒否しているかのように。

「しかし、決断は少々遅過ぎました。彼女が制服のまま家を飛び出したのは、約束の日の午後七時過ぎでした。おまけにその日は酷い雨で、バスも電車もまともに機能していなかったんです。結局、彼女が目的地に着いたのは、十二時を回った頃でした。当然、公園には誰もいませんでした。彼女はベンチに腰掛け、冷たい雨に打たれながら、自身の愚かさを嘆きました。自分がどれほど瑞穂さんとの再会を待ち望んでいたか、ようやく理解したんです。どうして自分はいつも間違ってしまうのだろう？　余計なところに気を回して肝心の一点を疎《おろそ》かにしてしまうのだろう？　霧子さんは呆然自失の状態で、きた道をとぼとぼと引き返しました」

その後、霧子がどんな目に遭ったのかは、僕が一番よく知っていた。

彼女と僕は、考え得る限り最悪の形で再会を果たしたのだ。

しかも、互いにそれと気づかぬまま。

「一つだけ、わからないんだ」と僕はいった。「〈合わせる顔がなかった〉というのは、どういうことなんだろう？」

「……それを説明するのに、この場所は相応しくありませんね」

霧子は膝に手をついて、大儀そうに立ち上がった。

僕もそれに続いた。

「一旦、アパートに戻ろう。温かいシャワーを浴びて、乾いた服に着替えて、美味しいものを食べて、たっぷり眠って、それから、真相を語るのに相応しい場所へ向かおう」

「ええ」

帰り道、僕と霧子はほとんど口をきかなかった。

冷たい手と手を繋ぎ、彼女の歩調にあわせてゆっくり歩いた。

話したいことはたくさんあったはずなのに、いざ再会してみると、言葉なんて必要ないように思えた。すべてを了解しあった沈黙はただただ心地よく、無闇に言葉を発することでその時間を加速させたくなかった。

アパートの狭いベッドに並んで横たわって数時間眠り、駅から出ているシャトルバスに揺られて〈相応しい場所〉に着く頃には、日が沈み始めていた。

そこは山上の小さな遊園地だった。入園券を買いジャケットを着た兎の人形がある入り口を抜けると、一帯に色褪せたファンタジーが広がっていた。売店や券売所、メリーゴーラウンド、回転ブランコといった遊具の向こうには、大観覧車やペンデュラムライド、ローラーコースターなどが見えた。あちらこちらで遊具の駆動音と共に女性の金切り声が上がっている。園内のスピーカーからは底抜けに明るいビッグバンドの音楽が流れ、アトラクションの傍では古きよきフォトプレイヤーの音色が聞こえた。あれだけの雨の翌日にもかかわらず、大勢の客がいた。家族連れとカップルが半々というところだ。

霧子はそれらを懐かしそうに眺めながら、僕の手を引いていった。

僕もまた、一度も訪れたことのないはずの遊園地を、懐かしい気持ちで歩いていた。おそらく僕は、以前にもここにきたことがあるのだろう。

そんな気がした。

観覧車の前で、彼女は立ち止まった。

自動販売機でチケットを必要な分だけ購入し、僕らはゴンドラに乗り込んだ。

園内を見下ろしていると、暗闇の中で輝く明かりの一つが消えた。噴水周りの街灯だったと思う。

それを皮切りに、まだ閉園時間でもないのに、辺りの明かりがぽつぽつと落ちていった。

失われていく遊園地。その一方で、僕の内側では、失われていた何かが急速に回復しつつあった。

魔法が解けかけているんだ、と僕は思った。

事故の〈先送り〉が解除され、霧子の死が訪れると共に、彼女が今まで〈先送り〉にしていたすべての物事は元の姿を取り戻すのだ。

ほとんどの明かりが落ちた。つい先程まで賑わっていた遊園地は、今や真っ黒な海と化していた。

ゴンドラの位置が頂点に達したとき、僕の記憶が戻った。

第9章　そこに愛がありますように

廊下で擦れ違ったとき目をあわせなかったというだけで「無視をした」と因縁をつけてきた姉は私の髪を摑み自室まで引っ張っていきドアを開けて中に突き飛ばす。フローリングの床に肘を強《したた》かに打ちつけた痛みに耐えながら顔を上げるとそこには姉が連れてきた柄の悪い連中がいて、彼らは私の登場に盛り上がり下品な言葉を投げかけてくる。部屋中に酒瓶や空き缶が転がりごみ捨て場のように饐《す》えた臭いがする。逃げ出そうとして踵《きびす》を返したところを前歯の欠けた垂れ目の男に脛を蹴り飛ばされ転倒する。げらげらと笑い声が上がる。

そこからはいつも通りの展開だ。私は彼らの玩具にされる。一人がウイスキーをグラスになみなみと注ぎそれをストレートで一気に飲むことを強要し、もちろん私に断る権利があるはずもなく不承不承グラスに手を伸ばそうとすると、香水のつけ過ぎで食虫植物みたいな臭いを漂わせている女が時間切れを宣告し隣にいる男に目配せをする。男は私を背後から羽交い絞めにして口を無理矢理こじ開ける。女はそこにグラスの中身を注ぎ込む。もしここで頑なに飲むのを拒もうものならもっと酷い目に遭うのは以前の経験でわかっているので何もかもを諦めて口内のウイスキーを飲み下す。薬と樽《たる》と麦の匂いが混ざったような独特の臭みと喉を焼く感触で咽そうになるのを懸命に堪える。連中が囃《はや》し立てる。

どうにかグラスの中身をすべて飲み干す。強烈な吐き気が襲ってくるまでに十秒とかからない。喉から胃にかけて焼けるように熱く、意識はぐるぐると混濁し誰かに脳を鷲摑みにされてシェイクされているようだ。急性アルコール中毒の一歩手前。傍でとぽとぽと不吉な音が聞こえる。「はい、二杯目」といって女がグラスを私の顔の前に掲げる。逃れようとするも既に体に力が入らず、いくら抵抗しても私を拘束する腕は微動だにしない。再びウイスキーが注がれ、私は途中でげほげほと咳き込んでしまう。汚え、といって男が羽交い絞めを解いて押し退け、平衡感覚を失っていた私は天井に飛んでいって張りついたように感じたけれど実際は床にびたんと伸びている。

何とかしてここから逃げようとドアに向かって這いずるが、誰かに足首を摑まれてずるずると引き戻される。姉が傍らにしゃがみ込んで「今から一時間吐かずに耐え切ったら解放してあげる」といい、私は一時間も耐えられるわけがないと首を振ろうとするが、それよりも先に彼女が私の胃の辺りを殴りつける。初めから耐えさせる気などないのだ。

思わずその場で嘔吐した私を見て周囲の連中は歓声を上げ、背の低い太った女が罰ゲームだといってスタンガンを取り出しスイッチを入れる。爆竹のようなスパーク音に私は身を竦ませる。それがどれほどの痛みをもたらすかを私は持ち主の彼女よりもずっとよく知っている。直後電極が首に押し当てられ、喉から自分のものとは思えないような悲鳴が漏れる。それが面白いのか女は何度も皮膚の薄い場所を狙って電撃を浴びせてくる。何度も。何度も。何度も。何度も。アルコールがさらに回ってきて痛みと痛みの間を埋めるように吐き気が挿入される。私がもう一度嘔吐すると罵声が飛び特別長いスタンガンの一撃がやってくる。

それでも私は辛くない。この程度、〈なかったこと〉にするまでもない。

慣れとは怖いもので、私は既にこれくらいの苦痛ならやり過ごすことができるようになっている。あらゆる攻撃に備えて空っぽにしておいた私の頭の中には、代わりに音楽がぎっしりと詰め込まれている。彼らになぶられている間は、それらの音楽をできる限り正確に再現する作業に集中することで他の感覚を鈍らせる。

明日も図書館にいってたくさんの音楽を詰め込もう、と私は思う。近所にある築三十年以上の小汚い図書館は大した本は置いていない割にCDはやたらと充実していて、私はそこの視聴コーナーで毎日のようにCDを聴いている。初めは鬱屈を吹き飛ばしてくれるような激しい音楽を好んで聴いていたが、苦痛に対してもっとも有効に機能するのは優れた詩でも寄り添うようなメロディでもなく〈純粋な美しさ〉なのだと気づいてからは、徐々に嗜好が落ち着いた音楽へと移っていった。〈意味〉や〈心地よさ〉はいつか人を置き去りにする。〈美しさ〉は寄り添ってくれはしないが、代わりにずっと同じ場所にいてくれる。初めは理解できなくとも、私がそこに辿り着くまでじっと待っていてくれる。

苦痛はあらゆる快感情を台なしにしてしまうが、唯一、美しいものを美しいと思う感覚だけは損なわれない。それどころか、苦痛によって美しさはよけいに際立つものだ。そうならない美しさはしょせん紛《まが》い物の美しさだ。楽しいだけの音楽、面白いだけの本、興味深いだけの絵、いざというとき頼りにならないものにどれだけの価値があるというのだろう？

ピート・タウンゼントはいっている。「ロックンロールはあんたの苦悩を解決しない、あんたを苦悩したまま躍らせるんだ」。そう、苦悩を解決しないこと、それこそが救いの本質なのだ。あらゆる苦悩が解決することを前提にしている思想を私は信用しない。どうしようもないことはどうしようもなくどうしようもないのだ。醜いあひるを白鳥に変えるような〈救済〉などたかが知れている。醜いあひるを醜いあひるのままで幸福にしてみせろ、と私は思う。

どれくらい経っただろう？　数分かもしれないし数時間かもしれない。とにかく、気がつくと姉もその仲間もどこかに消えている。今日も耐え切ってみせた。私の勝利だ。立ち上がってキッチンへ向かいうがいをして水を二杯のみ、それからトイレにいってもう一度吐く。歯を磨こうと洗面台の前に立つ。

鏡の中の私は酷い姿をしている。目は充血しきって真っ赤なのに顔色は真っ白で、シャツのあちこちにウイスキーや吐瀉物や血の染みがある。いつのまに出血などしたのだろうと体のあちこちを点検するが怪我は見当たらない。だが歯磨きを始めたところで、どうやらスタンガンを浴びた際に頬を噛んだらしいとわかる。歯ブラシが赤く染まる。

時計は午前四時を指している。リビングの棚からアスピリンと胃薬を取り出して飲んで寝間着に着替え自室のベッドに横になる。私がどれだけ痛めつけられようと明日も平常通り学校があることには変わりがない。少しでも体を休めなければならない。

枕の下から熊のぬいぐるみを取り出して抱える。こんなやり方で自分を慰めるなんていかれていると自分でも思う。つくづく呆れる。でも多分これからもずっとこうなのだろう。私は長い間ずっと柔らかい抱擁を求めているのだけれど、それを与えてくれる人がどこにもいないのを知っている。

国道沿いの分厚い林に囲まれた閉塞感のある公立高校に、私は望んで入学したわけではなかった。県内の私立の進学校を志望していたのだが、母は女に学問は必要ないといい張り、義父も高校なぞどこにいっても変わらんといってバス一本で通える近所の公立校以外の受験を認めなかった。本鈴が鳴っても教室のあちこちで喋り声が絶えず授業が成立した試しはなく、午後になるとクラスの三分の一が早退しており、体育館裏には煙草の吸殻が何百本と散らばり、一箇月に一人は逮捕や妊娠を理由に中退する生徒がいるような学校だった。しかし高校に通えるだけありがたいと思わなければと私は自分に言い聞かせた。世の中には中学校すらまともに通わせてもらえない子供もいるのだから。

午後の授業が始まった。教師の声が聞き取れないほど騒々しい教室で一人教科書を読んでいると、後方から飛んできた何かが肩に当たった。まだ少し中身の残っている紙パックだ。中身のコーヒーが少し飛び散って、私のソックスを汚した。笑い声が上がったが、私は振り返りもしなかった。授業中であれば、これ以上のことを彼らがしてくることはない。たかが紙パックが飛んでくるくらいで済むのなら、私は安心して勉強を続けることができる。

ふと顔を上げると、教員と目があった。二十代後半の若い女教員だ。飛んできた紙パックは彼女にも見えていたはずだが、知らん振りを決め込むようだった。

だが私はそのことで彼女を責めようとは思わない。私だって、彼女が生徒の攻撃対象になったとしても何もしてやれないだろう。自分の身は自分で守るものだ。

放課後になると私は市立図書館へ直行した。音楽を聴きたいというのもそうだが、何より私は早いところ静かな場所にいって眠りたかった。図書館をコミックカフェのように使うのは気が引けるけれど、でも他に安心して熟睡できる場所を私は知らなかった。

いつ父や姉に叩き起こされて殴られるかわからない自宅、迂闊に机に突っ伏して眠ってしまおうものなら背後から椅子を引き抜かれたりゴミ箱の中身を頭から振りかけられたりする教室。そんな場所で眠れるはずもない。だから私は図書館で眠る。幸い、私に危害を加えるような人々はそこに近づかない。おまけに本を読めて、音楽も聴ける。図書館は素晴らしい発明だ。

睡眠不足は人間を根本的に弱らせる。睡眠時間が半分になるだけで、私の肉体的苦痛とか罵詈雑言《ばりぞうごん》とか未来への不安といったものに対する耐性は著しく低下する。もし一度でも私が折れて屈してしまったら、元通りのタフな少女に戻るにはかなりの時間と労力を要するだろう。いや、下手をすれば二度と戻れないかもしれない。

私は強くしなやかでいなければならない。そのために睡眠時間の確保は必須事項だ。家で四時間以上眠れなかった日には、図書館で眠ることにしている。自習室の硬い椅子の寝心地は決してよいとはいえないけれど、私にとってここは唯一の居場所だ。開館時間の午前九時から午後六時までは。

軽く音楽を聴いた後、アーヴィングの『サイダーハウス・ルール』を借りて自習室で読む。数ページ目を通しただけで私の眠気は閾値《いきち》を超える。時間は何者かに盗まれたかのように一瞬で過ぎ、司書の女性に肩を叩かれ閉館時間ですと告げられる。

昨日の酒がようやく抜けて、頭痛が治まっている。私は彼女に頭を下げ、本を棚に戻して図書館を出る。外に出ると完全に夜になっている。十月ともなると、日が暮れるのが早い。

木枯らしの吹く肌寒い帰り道に考えるのは、いつもと同じことだ。

今日は手紙がきているだろうか？

文通を始めて、かれこれもう五年になる。その間に私を取り巻く環境は大きく変わった。父が脳卒中で死に、数箇月後、母が今の義父にあたる男と結婚した。苗字が〈日隅〉から〈秋月〉に変わり、私には二つ上の姉ができた。

中学一年生の春、母が「この人と結婚するつもりでいるの」と私に紹介したその男を一目見た瞬間から、私は自分の人生が徹底的に破壊し尽くされることを予期していたように思う。〈ああ、駄目だ〉。私はそう心の中で呟いた。男を構成する要素のすべてが私に不吉な予感を与えた。具体的にどこがどう不吉だったのかは言葉にできないが、十七年も生きていれば〈どちらかといえば悪い人〉と〈どちらかといえばよい人〉の区別こそつかなくとも、〈明らかに悪い人〉くらいは一目でわかる。無意識の扱う統計データがそれを教えてくれる。母はどうしてよりにもよってこんな疫病神みたいな男を選び出してしまったのだろう？

私の予想通り、義父は典型的な疫病神だった。自身の社会的地位に劣等感を抱えており、それを覆い隠すために周りの人間を打ちのめす機会を常に狙っていて、おまけに臆病だから自分よりも弱い立場にある相手しか狙わない、そういう男だった。「接客態度がなってない」といって店員に罵声を浴びせてわざわざ名前を聞き出して脅しめいたことをしたり、追突してきた車に乗っていた家族全員に道路上で土下座するよう強要したりするのが〈男らしい〉立派な行為なのだと本気で思っているようだった。

そして非常に厄介なことに、私の母は少なからず、彼のそういった劣等感の裏返し的〈男らしさ〉に惹かれているようだった。本当に、本当にどうしようもない。

こういった人間の常として、義父は暴力によって家族を服従させることを〈男らしさ〉の主要素の一つだと考えていた。他の要素は何か？〈酒〉、〈煙草〉、〈賭け事〉。これらを義父は〈男らしさ〉の象徴として崇拝していた。多分彼としてはそこに〈女〉を加えたかったのだろうけれど、生憎《あいにく》彼がどんなに〈男らしさ〉を磨こうと、そこによってくる女性は——私の母を除けば——皆無だった。

本人もそれを気にしているのか、時折、「自分は妻一人を愛することに生き甲斐を感じるのであって、他の女に手を出そうと思えばその機会はいくらでもあるのだが、まったく興味がない」といった意味のことを訊いてもいないのに繰り返し語った。そして舌の根が乾かぬうちに母を殴った。私は何度も義父の暴力を止めようと割って入ったが、母に「霧子が間に入ると話がよけいにややこしくなるから口出ししないでほしい」といわれてからは傍観するようになった。

何しろそれは母の選択なのだ。ならば私は見守るしかない。

ある日、母と二人きりになったところで「離婚とか考えないの？」と訊いてみた。すると母は「これ以上実家に心配をかけたくない」とか「自分は男の人がいないと駄目なのだ」とかいい、最終的には「私たちにも悪いところはある」などといい出した。聞きたくなかった言葉を一通りいってもらえたな、と私は思った。

義父の暴力は、次第に義理の娘である私にも向けられるようになっていった。まあ、自然な流れだ。帰りが少し遅くなったとか学校を早退してきたとか、そんな些細な理由で彼は私を殴った。そのやり口は次第にエスカレートし、ある日私は酔っ払った義父に階段の上から突き落とされた。打ち所がよかったらしく大事には至らなかったが、このときばかりは母も激怒し、翌日、義父に離婚の話をちらつかせた。

そう、ただちらつかせただけなのだ。夫の怒りを警戒して、母は〈離婚〉の二文字をあえて出さずにおいた。「これ以上、あなたが私や霧子にそういう仕打ちを続けるなら、私もそれなりの手段に出るかもしれません」といっただけだ。そしてその続きはいわせてもらえなかった。義父は目の前にあったグラスを摑んで窓に向かって投げつけた。

そのとき私は自室で参考書を開いていたのだが、窓の割れる音を聞いてペンを止め、リビングの様子を見にいくべきかどうか逡巡した。直後、ドアがものすごい勢いで開かれ義父が飛び込んできた。思わず悲鳴を上げそうになったが、私はそこで堪えずに思い切り悲鳴を上げておくべきだったのだと思う。そうすれば、ひょっとしたら、近隣住民が駆けつけてくれたかもしれない。……もちろんこれは冗談だ。

遅れて母がやってきて、「やめてください、この子は関係ないでしょう」と義父に泣きついたが、彼は構わず私を殴りつけた。私は椅子から転げ落ち、机で側頭部を強打した。それでも〈勉強さえまともにさせてもらえないのか、嫌だなあ〉くらいの感想しか出てこなかった。さすがに毎日家族が殴られるのを見たり殴られたりしていれば嫌でも慣れる。

でも二発、三発、四発、五発と殴られているうちに、体の芯からぞわぞわと恐怖心が染み出てきた。それは初めての経験だった。

私は、ふと思ったのだ。

もしかするとこの男は、際限というものを知らないのではないか？

途端に私の目からは涙がこぼれ、体が震え出す。あるいはこの時点で私は数箇月後の悲劇を予測しており、それに絶望して涙を流していたのかもしれない。母は幾度も義父の腕にしがみつくが、力に差があり過ぎてすぐに振り飛ばされてしまう。お前が悪いんだぞ、と義父がいう。俺だってこんなことやりたくてやっているわけじゃない、でもお前が人をコケにするようなことをいうから俺はこいつにまで手を出さなきゃいけなくなるんだ、全部お前のせいなんだ……。

何をいっているのかさっぱりわからなかった。でも彼が怒りを向けている母を殴らずにあえて私を殴る理由は何となくわかった。こうした方が、母を直接殴るよりも効くのだ。

私は二時間近くに亘って殴られ続けた。彼の思惑通り、以後母が離婚について口に出すことは二度となかった。これに味を占めたのか、義父はその後、私にいうことを聞かせたければ母を殴り、母にいうことを聞かせたければ私を殴るようになった。

私にとって唯一の救いは、瑞穂くんとの手紙のやり取りだった。私の人生の中で褒められた点があるとすれば、それは瑞穂くんに文通を申し込んだことだ。小学六年生の秋に担任教諭の口から彼の転校が告げられたその日からずっと機会を窺っていたのだが、臆病な私は中々一歩が踏み出せず、結局文通の話を持ちかけることができたのは彼の最終登校日だった。

もしあのとき勇気を振り絞って声をかけていなかったら、私は瑞穂くんと手紙を出しあうこともなく、生き甲斐のない私は十三歳か十四歳のときに死んでいたかもしれない。当時の私を褒めてやりたい。

ここでいう〈文通〉は、実をいうと、普通の人が想像するそれとは少々趣を異にする。私は手紙の中で義父や義姉や学校の連中に怯える日々について涙ながらに訴え瑞穂くんに慰めてもらっていたわけではない。文通開始から数箇月は身に起きた出来事をそのまま書いていたが、義父がやってきて生活が一変してからというもの、私は嘘ばかり書くようになった。

愚痴や弱音を吐いてしまいたい、瑞穂くんに慰めてもらいたいと思わなかったわけではない。しかし私は私が変わることによって彼までも変わってしまうことを恐れていた。もしこちらが現状の辛さをありのままに綴ったとしたら、以後、瑞穂くんは私を気遣って当たり障りのない話題を慎重に選択するようになり、自分の身に起きた好ましい出来事について語るようなことはなくなってしまうだろう。そして文通はいつしか書簡形式のカウンセリングみたいになるのだ。

そんなのは嫌だった。だから私は架空の〈日隅霧子〉を作り上げた。父親が死んだこととか、母の再婚相手が最低の人間だったこととか、学校で酷い虐めに遭っていることなどはおくびにも出さなかった。それらは〈秋月霧子〉の担当であって〈日隅霧子〉の関与するところではない。〈日隅霧子〉は、平凡ながらも充実した日々を送り、かつその幸福を噛み締めることのできる少女だ。

　彼女になりきって手紙を書くのは楽しかった。一度筆をとってしまえば、二文目を書く頃には〈日隅霧子〉と化すことができた。嘘に真実味を付与するための細部を積み重ねているうちに、いつしか私は二人分の人生を同時に生きているような錯覚を覚えるようになった。

　皮肉なことに、私の虚構のリアリティは、そのうち私の現実のリアリティを追い越してしまった。仮に私が〈日隅霧子〉と〈秋月霧子〉それぞれの立場で手紙を書いたとして、事情を知らない人にどちらが実生活を綴った手紙か訊ねたら、十人中九人は〈日隅霧子〉の方を指差すことだろう。それくらい私の虚構は手が込んでいて、私の現実は手が抜かれていた。ただただ虐げられるだけの毎日。少しは変化があった方が、真実味があるというものだ。


　私は瑞穂くんのことが好きだった。

ただ気があうというだけの理由で、五年も会っていない人間を〈好き〉というのはおかしい気もする。顔も上手く思い出せない文通相手に憧れるなんてどうかしている。他に相手をしてくれる人がいないから彼を好きになる以外に選択肢がないだけだろう、といわれても否定できるだけの材料はない。ほとんど手紙でしか話したことがないから、彼のよいところしか見えていないというだけの話なのかもしれない。

それでも不思議と私は確信できる。私がこんな風な気持ちを抱く相手は、世界で瑞穂くんただ一人なのだ。根拠はない。なくてもいい。私は初めから自分の気持ちを無理矢理正当化したり合理的に説明したりするつもりはない。恋をするのにいちいち他人に対して何かを証明しなければならないという理屈はあるまい。もしそうする必要があると感じている人がいるとすれば、その人は多分、恋を目的ではなく手段として扱っている。

どこまでも救い難い私の脳は、筆跡や文体や便箋から、自分勝手に理想の〈瑞穂くん〉を作り上げている。空想の中の彼は小学校時代からうんと背が伸びて、今では私と頭一つ分くらいの差が開いている。ちょうど抱きあいやすいくらいの身長差だ。手紙では明るくて饒舌《じょうぜつ》な彼は、実際に顔をあわせてみると私と目もあわせられないくらい照れ屋で歯切れも悪い。そのくせときどき、こちらをどきりとさせるようなことを躊躇なくいってのける。普段は少し陰のある表情をしていて、喋り方もよくいえば落ち着いていて悪くいえば冷淡なのだけれど、たまに見せる笑顔は十二歳のときのまだ。完全にこちらの不意をついて姿を現す、あのくらくらするくらい愛おしい笑顔。

私が想像するのはそんな〈瑞穂くん〉だった。後に再会したとき、あまりに多くの点が自分の予想と一致していて驚愕するのだけれど、それについてはもう少し後に書くことになるだろう。


帰宅してまず調べるのは郵便受けではなく、玄関にあるフクロウのオブジェの裏側だった。馴染みの郵便配達員に、差出人が湯上瑞穂の手紙がきたらそこに落としてくれるよう取り計らってもらったのだ。もちろん配達員はいつも同じ人というわけではないから、日によっては直接郵便受けに入れられてしまうこともある。

私はフクロウの背中を覗き込み手紙がきていないのを知り、溜息を吐きながらドアを開ける。そして後悔する。中の様子を確認してから入るべきだった。

義父が鞄を下ろし、靴を脱いでいるところだった。

私は渋々「ただいま」と口にする。義父は素早く私に背を向け、何かをスーツの内ポケットにしまう。その仕草がなぜだか妙に引っかかる。嫌な予感がする。

「おう」義父が返事をする。やはりどこかぎこちない、と私は思う。疚《やま》しいところがある人間はこういう反応をするものだ。不安が膨れ上がる。

思い切って訊いてみる。

「あの、今、何を隠したんですか？」

「……ああ？」

途端に義父の声色がどす黒く染まる。臨戦態勢に入ったようだ。いつでも怒鳴れるようにすっと息を吸い込む。

だがこれでわかった。この男は今、間違いなく後ろめたい気持ちを持っている。その原因が内ポケットにしまった〈何か〉であるのはまず間違いない。そうでなければこの厚顔無恥な男がただの郵便物をこそこそと隠すわけがないのだ。

「俺宛の郵便物だよ」義父は高圧的にいった。「何だ、その口の利き方は？」

遠回しに訊いてもはぐらかされるだけだと思い、私は単刀直入にいう。

「でしたら、それを見せてもらえませんか？　一瞬でいいんです」

義父の顔に一瞬焦りの表情が浮かぶ。だがその感情は生まれた傍から怒りに転化される。こういう場面では先に逆上して怒鳴り散らした方が勝つというのが彼の信条の一つで、確かにそれは相手が自分より立場も力もない人間である場合においてのみ、非常に有効に働く。

「お前、何様だ？」

義父が私に詰め寄る。脂ぎった臭いが鼻につく。胸倉を掴まれ、軽く頬を叩かれる。だがおかげで私は、彼の胸元から僅かに覗く封筒を確認することができる。グレーの上質紙と郵便番号の筆跡から、それが瑞穂くんからの手紙である確証を得る。同時に義父が私の視線に気づき、胸倉を掴んでいた手を離して私を突き飛ばす。

人を舐めるのもいい加減にしろよ。そういい残して彼は階段を上がっていく。後を追おうとするが、脚が動かない。私の体は知っているのだ。あの男に逆らってもどうしようもないということを。

私はその場に崩れ落ちる。彼だけには知られたくなかったのに。義父はこれから書斎にこもり鍵をかけ、瑞穂くんが私に書いてくれた手紙に目を通すのだろう。そうして新たに一つ私の弱みを握った気になって、ほくそ笑むのだ。

昔からそうだった。出歯亀根性とでもいうか、義父はとにかく家族の秘密を知りたがった。男らしさを標榜するくせに、やけに女々しいところがあるのだ。母が電話を受けるたびにその内容を逐一報告させる。あらゆる郵便物を勝手に開封する。機会があれば家族の携帯電話を盗み見ようとする（私は携帯電話を与えられていないからその被害に遭ったことはないが）。彼が私の部屋に入り込んで抽斗を漁っているのを目撃したのも一度や二度ではない。

この際だ。手紙を読まれるのはよしとしよう。別に疚しいことは書いていない。私が嘘を吐き続けているという一点を除けば、私たちの文通は健全過ぎるほどに健全だ。読まれて困ることはない。

私が今もっとも恐れているのは、義父が〈手紙を盗み見た〉という事実を隠蔽するために、証拠品を駅やコンビニエンスストアのごみ箱のような場所に捨ててしまうことだった。想像しただけで動悸が止まらなくなった。あれは私の宝だ。私の信仰だ。私の命だ。それを失うのは身を焼かれるよりもずっと辛い。

翌日義父が仕事にいくと、私は恥も外聞もかなぐり捨てて家中のごみ箱を漁った。通勤ルートに設置されているごみ箱を懐中電灯まで使ってすべて調べた。そうして彼の勤める会社の傍にあるコンビニエンスストアのトイレのごみ箱で、くしゃくしゃに丸められた灰色の封筒を見つけた。

だが肝心の中身は、どれだけ探しても見つからなかった。

一度限りなら、失くしたことにすればいい。どこかで読もうと思い鞄に入れて持ち運んでいたら紛失してしまった、とでも手紙に書けばいい。だが今回の件で味を占めた義父は、これから郵便受けやその周辺に注意を払うようになるだろう。そして日隅霧子宛の手紙を発見すると嬉々として内ポケットにしまい込み、隠れてそれを読んで優越感に浸り、くしゃくしゃに丸めて通勤途中にどこかに捨ててしまうのだろう。

これ以上文通を続けるのは難しいかもしれない、と私は思う。

なぜ私は〈義父に手紙が見つかった〉という事実を〈なかったこと〉にできなかったのか？　それはやはり、私が心の片隅で、瑞穂くんに嘘を吐き続けることへの疚しさを感じていたからなのだろう。こんな不健全な関係は断ち切るべきなのだ、今回の一件は文通をやめるのによい機会じゃないか――ほんの一瞬でもそう考えてしまえば、願いは純粋さを失い、強さを失い、〈先送り〉は困難なものとなる。

悪いことがいつもまとまって一度にくるように感じるのは〈洗車し始めると雨が降

る〉式の錯覚なのだろうけれど、手紙が見つけられなくて失意の底にいた私はその日さらに酷い目に遭う。昼休みに登校して教室に入るなり、私は女子数人に襟首を摑まれて体育館倉庫まで連れていかれる。以前から彼女らに目をつけられていたのは知っていたので特に驚きはない。曇っていた空から雨が降り出した。その程度の感覚だ。

私が教室で嫌われているのは極端に強いわけでも極端に弱いわけでもなく、中途半端に強くて中途半端に弱いからだろう。抵抗するくらいの強さはあるが身を守りきるほどの強さはなく、完全に屈してしまうほどの弱さはないが現状の改善を諦めてしまうくらいの弱さはある。スポーツにせよボードゲームにせよ虐めにせよ、そういう〈強いけど弱い〉人間を打ち負かすのが一番楽しいのだ。

それを自覚したところで、私はこれ以上強くもなれるわけでも弱くもなれるわけでもないが、原因をわかった気になるだけで、不安というものはずいぶん軽減される。惨めな人生を送る人ほど内省的になるのはそのためだろう、と私は思う。

六人それぞれに殴られた後、床に押さえつけられる。口をこじ開けられ、バケツの汚水を注がれる。どこから持ってきた水かは知らないけれど、学期末の大掃除で使った水がちょうどあんな濁り方をしていた。どいつもこいつも私に妙なものを飲ませるのが好きらしい。息を止めて飲み込むのを拒否してみたものの、誰かが私の喉をぐっと摑んで圧迫してきて、その拍子に結構な量の汚水を飲み込んでしまう。洗剤と埃《ほこり》を混ぜた味が口内を満たし、喉から胃にかけて流れる。私は耐え切れなくなって吐く。やれやれ、最近吐いてばかりだ。

自分で後始末をしろ、といってクラスメイトは満足した様子で立ち去る。私は洗い場にいってもう一度汚水を吐き出し、服や体を洗う。濡れた制服からぽたぽたと水を滴らせ、擦れ違う人々の視線に耐えながら廊下をいき教室前のロッカーを開けたが、そこにあるはずのジャージがない。ふと、数メートル先の手洗い場で水が出しっぱなしになっていることに気づく。予想通り、ジャージはそこで水浸しになっている。まったく手が込んでいる。何が彼らをここまで駆り立てるのだろう？

保健室にいって着替えを借り、制服とジャージにドライヤーを当てて乾かす。段々と目の焦点があわなくなってきて、私の中で何かが崩れそうになる。だが辛うじて踏み止まる。何度も深呼吸することで淀んだ体内を換気する。苦労は人を豊かにするというが、私は人々に虐げられるにつれてどんどん空っぽになっていく。だから多分これは苦労といわず消耗と呼ぶべきなのだろう。

私は日々磨《す》り減っていく。

放課後、私は図書館に寄り、硬い椅子に座って瑞穂くんに手紙を書く。「直接会って、お話がしたいです」の一文を書き出すまでに二十分かかる。「手紙の中ではどうしてもいえないようなこともあります。お互いの目を見て、お互いの声を聞きながら、お話ししてみたいです」

手紙での交流が難しくなった。私は携帯電話を持っていなかった。かといって家族の視線のある中固定電話を使うのも難しかったし、公衆電話で満足いくまで話し続けられるほどお金も持っていなかった。それでも私は彼との交流を続けたかった。そうなると直《じか》に会うしかない。他に選択の余地はなかった。私は瑞穂くんに会いにいくことを決めた。

とはいえそれは望みの薄い賭けだった。瑞穂くんは架空の〈日隅霧子〉と実物の〈秋月霧子〉の違いをすぐに見抜くだろう。数時間程度であればごまかせるかもしれないが、今後も彼との関係を文通以外の形で継続するとしたら、私の本来の姿はいつまでも隠し通せるものではない。

瑞穂くんと再会したとき、私は嘘を告白することになるだろう。どんな反応が返ってくるだろうか？　優しい彼のことだから、自分が五年近く騙されていたとわかっても、怒りを露わにするようなことはないとは思う。だが失望されるのは間違いない。私はそれが怖くて怖くて仕方がない。

あるいは私は楽天的過ぎるのかもしれない。自分が不感症だからといって他の人間までそうであると決めつけてはいけない。そもそも私はいつでもどこでも誰にでも嫌われることのできる稀有な体質の持ち主なのだ。それも加味する必要がある。

最悪の場合、瑞穂くんは私の嘘を本気で軽蔑し、口も利きたくないといって私の人生から姿を消すかもしれない。いや、それ以前に彼はこの提案に乗ってくれないかもしれない。手紙でこそ親しげに話してくれるけれど、直接会いたいと思うほどには私に興味を持っていない可能性だってあるのだ。図々しい女だと疎まれることだって考えられる。

私は一応それらを〈なかったこと〉にできる。可愛がっていた灰毛の猫のぐちゃぐちゃになった礫死体を見つけた八歳のあの日から私は魔法使いだ。起きてしまった出来事を、一定期間〈なかったこと〉にすることができるようになった。

けれども、一度瑞穂くんに嫌われてしまえば、たとえそれを〈なかったこと〉にしたところで、私の頭には〈瑞穂くんに拒まれた〉という記憶が残る。そんな状態になっても、私は素知らぬ顔で文通を続けられるだろうか？

すべての希望が潰《つい》えたとき、私はどうすればいいのだろう？

簡単なことだ。私はいつもの空想に浸る。イメージしやすいのは、列車だ。時刻はいつでもいいが、夕方としておこう。私は踏切にいる。ひと気のない小さな踏切だ。かんかんかん。警報機が鳴り始める。私は頃合を見計らって遮断機を潜り、線路に横たわる。首と脛がレールの上に載るような形だ。数秒間星空を見上げた後、私はゆっくりと目を閉じる。線路から振動が伝わってくる。瞼の裏にヘッドライトの鋭い明かりが刺さる。ブレーキ音が響くが、既に手遅れだ。私の首は一瞬で切断される。

そういう空想だ。いい世の中だと思う。楽に、確実に命を絶つ方法がいくつも存在する。だからこそ私はからっとした態度で生きることができる。〈あなたがそのゲームに耐えられなくなったのであればスイッチをオフにすればいいだけの話だ。あなたにはその権限がある〉。どうしても耐えられなくなるそのときまで、ひとまず私はこの悪趣味なゲームの全貌を知るためにコントローラーを握り続ける。ちなみに、十七年間プレイしてきて私にも一つだけわかったことがある。このゲームに〈製作者の意図〉のようなものを期待するだけ無駄だ。

閉館時間まで仮眠をとった後、出入り口に設置されている年季の入った丸型ポストに手紙を投函して図書館を後にする。温かい明かりの漏れる住宅街を歩いていると、どこの家庭も皆円満に暮らしているように見える。現実にそんなことがあるはずはなくて、それぞれがそれぞれに厄介な問題を抱えているのだろう。でも少なくとも、彼らの家から怒号や悲鳴が聞こえてくることはない。

『プリーズ・ミスター・ポストマン』の女みたいな心境で待ち続けて一週間が過ぎても瑞穂くんからの返事はない。私は気が狂いそうになってくる。嫌な想像が止まらない。断りの文面を考えていて返事が遅くなっているのではないか。単に勉強や部活が忙しいのではないか。手紙は届いたが義父が掠め取ってしまったのではないか。前回くれた手紙の内容に触れなかったせいで彼の機嫌を損ねてしまったのではないか。瑞穂くんの身に何かあったのではないか。厚かましい女だと愛想を尽かされたのではないか。もう二度と返事はこないのではないか。私の嘘はとっくにばれていたのではないか。

図書館の薄暗いトイレで、鏡の中の自分を見つめる。目元には濃い隈《くま》ができて、瞳は黒く濁っている。こんな幽霊みたいな女と会いたがる人なんているわけがない、と私は思う。

十日が過ぎる。私は踏切と線路の空想の実行を視野に入れ始める。図書館からの帰り、自分の家から馴染みの郵便配達員が出てきて走り去るのを見る。私はどきどきしながらフクロウのオブジェの裏を探る。そして失望に染まる。念のために郵便受けの周辺も確認する。やはりそこにも手紙は見当たらない。未練がましくもう一度フクロウのオブジェの裏を探る。ない。

私は立ち尽くす。何もかも憎くて堪らなくなる。このフクロウを破壊してやったら少しは気が紛れるだろうかなどと考えていると、背後から声がかかる。

私は振り向いて、わざわざ引き返してきたらしい配達員に挨拶をする。四十代前半の背が低い郵便配達員は愛想よく挨拶を返してくれる。

その手には、グレーの上質紙の封筒が握られている。

彼は私に耳打ちする。

「つい先ほどここにきて、いつものようにこれをフクロウの裏に入れようとしたんだが、ちょうど君の父親が帰ってきたところだったんだ。あの人に見つかるのだけは避けたいだろう？」

私は感謝のあまり何もいえなくなる。ありがとうございます、私は何度も深々と頭を下げる。彼は日焼けした顔を歪ませて悲しそうに笑う。薄々、私の周りの事情を察しているのだろう。何もしてやれなくてすまない、と彼の目はいっている。だから私も目で答える。あなたが気にする必要はありませんよ、それに、こんなのはよくある話じゃないですか。

その瞬間を誰にも邪魔されたくなくて、私は近所のバス停の待合室に移動してから封筒を開ける。私の手は震えている。念のためもう一度、宛名と差出人の名を確認する。日隅霧子。湯上瑞穂。間違いない。これが願望に基づいた幻覚でないとすれば、手紙は瑞穂くんが私に向けて書いたものだ。

便箋を取り出し、そこに書いてある文字をゆっくりと嚙み砕く。数秒後、私は椅子の背もたれに体を預けて夜空を仰いでいる。手紙を畳んで封筒にしまい、心臓の上に当てる。自然と口端が上がり、笑みが零れる。漏れる吐息はいつもより少しだけ温かい。

みずほくん、と私は彼の名前を呟く。その五文字の響きが、今のところ私の人生のすべてだ。

生徒の財布からお金が抜き取られる事件が起きて、その時間帯授業に出ていなかった私は容疑者の第一候補となる。職員室で教員二人に当時何をしていたかと訊かれたので、同級生に服を汚されたので保健室で乾かしていました、養護教諭の方もそれを知っているはずです、それくらい最初から確認を取ってくださいと答える。瑞穂くんとの待ちあわせまで残り三十分を切っていて、私は焦りからつい刺々しい物言いをしてしまう。

教員たちはそれを怪しむ。彼らは私が普段彼らによってどんな目に遭わされているか知っているので、その報復を疑い始める。保健室の件は露骨なアリバイ作りと決めつけられる。今なら警察沙汰にしないから素直に白状しろ、と横から入ってきた数学教師がいう。拘束時間はどんどん延びる。

待ちあわせの時間を十分過ぎたところで私は無断で職員室を抜け出す。「待ちなさい」と腕を掴まれるが振り払って走り出す。背後から「逃げる気か」と怒声が聞こえるが無視する。こんなことをしたらいよいよ犯人扱いされるに違いない。だが気にするものか。今はそれどころではないのだ。どんなに急いでも、もう約束の十九時は過ぎてしまっている。それでも一時間くらいなら瑞穂くんは待ち続けていてくれるかもしれない。

私は人目もはばからず走る。額に汗が滲む。安物のローファーに親指が擦れて皮が剝ける。心臓が酸素を求めて悲鳴を上げる。視界が狭くなってくる。構わず走る。私の家と彼の家を結ぶ直線の中心付近に位置する小さな駅を、瑞穂くんは待ちあわせ場所として指定していた。幸い、そこは私の通う高校から歩いていける距離にある。急げば三十分とかからない。

災難は重なる。曲がり角の直前で自転車が飛び出してくる。咄嗟に避けようとした方向が一致して、私たちは正面衝突する。背中からアスファルトに叩きつけられ、衝撃で呼吸ができなくなる。うずくまったまま歯を食いしばり、痛みが引いてくれるのを待つ。自転車に乗っていた男子高校生が駆け寄ってくる。取り乱した様子で謝罪してくる。私は何ともない風を装って立ち上がり、「すみません、急いでますから」といって彼を押し退けて再び歩き始める。途端に足首に激痛が走り、よろめく。

しつこく謝罪してくる男子高校生に、私は一つ、厚かましい要求をする。

「あの、事故のことはもういいです。その代わり、駅まで運んでくれませんか？」

彼は喜んでそれを引き受けてくれる。濃紺のブレザーを着たその男の子が漕ぐ自転車の荷台に腰掛け、私は駅まで運ばれる。結果的には、自分の足で走るよりも早く着きそうだ。まだ運には見放されていない。

駅前のロータリーまでくると私は「ここでいいです」といって自転車を降り、片足を庇いながら駅舎へと急ぐ。植え込みから伸びる時計は十九時四十分の手前を指している。出発合図の笛の音がホームに鳴り響く。停まっていた列車が動き出す。

嫌な予感がする。

蛍光灯が点滅する構内に、私は一人ぽつんと立ち尽くす。時計の秒針が三周するのを見届けた後、六つしかない椅子の一つに腰掛ける。

汗が引いて体が冷え、頭がずきずきと痛み出す。鞄から文庫本を取り出して膝の上に開く。ひたすら機械的に文字を目で追うが、意味は入ってこない。それでも構わずページを捲る。

そうやって待っていれば、瑞穂くんが息を切らして駆け込んでくると思っていたわけではない。せっかくの再会の機会をふいにしてしまったという事実を受け入れられるようになるまで、少し時間がかかるだけだ。

「電車、間にあわなかったのか？」

振り向くと、私をここまで送ってくれた男の子が立っている。事情を説明するのも面倒なので、私は頷いておく。

彼は深く頭を下げる。「申し訳ない。僕のせいで」

私も頭を下げ返す。「いえ、もともと間にあうはずがなかったんです。むしろ、あなたが自転車に乗せてくれたおかげで、予定よりはずっと早くここに着きました。ありがとうございます」

背が私よりも頭一つ分高く、どこか物憂げな雰囲気を漂わせるその男の子は、自販機で買った温かいミルクティーを私に差し出してくれる。私は礼をいってそれを受け取り、両手を温めてからゆっくりと飲む。気分が落ち着いてくるにつれて足首の痛みは増していくけれど、敵意を持って与えられた傷の痛みと比べれば、何ということはない。

二つ隣に座った男の子を、私は改めて観察する。待ちあわせにばかり意識が向いていて気づかなかったけれど、私は彼の着ている制服に見覚えがあった。でも、どこで見たのかまでは思い出せなかった。濃紺のブレザーに灰色のネクタイ。登下校中に見かけるいくつかの制服とは違うようだし、かつて志望していた高校の制服というわけでもない。

時間をかけて記憶の隅々まで探る。そうだ。二年ほど前、何かきっかけがあって、私は図書館のパソコンを借りてある高校について検索した。彼の制服は、その高校のウェブサイトのトップページを飾る写真で生徒が着ていたものと同じなのだ。

その〝きっかけ〟について思い出したとき、私の頭に突拍子もない仮説が浮かぶ。でもそれは即座に棄却される。〈そんな都合のよい話があるわけないじゃないか〉。一瞬でも馬鹿みたいな期待をした自分を情けなく思う。

視線に気づいた男の子が、「どうかしたのか？」という表情で目を瞬かせる。私は慌てて目を逸らす。彼はしばらく不思議そうに私の横顔を眺めている。遠慮がちな視線が、かえって緊張を高める。

上りの列車を見送る。下りの列車を見送る。

私たちは依然、駅舎に二人きりでいる。

「誰か、待っているのか？」と男の子が訊く。

「いえ、そういうわけではないんです。ただ……」

そこまでいいかけて、私は言葉につかえる。彼はその続きを待っている。でも〈ただ〉の後に続く言葉が〈あなたの隣が心地よくて、ここを離れる気になれないんです〉であると気づいてしまった以上、私は口を噤むしかない。まったく、私は初対面の男の子に何をいおうとしていたんだろう？　ちょっと優しくされたからって、調子に乗り過ぎだ。

　さらにもう一本の列車を見送った後、私はいう。

「あの、お気遣いはありがたいんですけど、いつまでも私につきあう必要はありませんよ。別に怪我のせいで動けないというわけではないんです。私は、好きでここにいるだけですから」

「気があうな。僕も好きでここにいるだけだよ」

「……そうですか」

「今日、ちょっとだけ悲しいことがあったんだ」と彼はいう。「さっき君を轢いてしまったのも、そのことで頭が一杯だったからだと思う。今は君への申し訳なさでそれどころじゃないけれど、ここを出て一人になった途端、僕は再び悲しみと向きあわなければならなくなる。それが嫌で、動き出せずにいるんだ」

　彼は伸びをして、瞼を閉じる。

　気が楽になって、力が抜けて、何だか私はうとうととしてくる。

　隣に座っている彼こそが自分の崇拝する男の子であると気づくのは、もうしばらく後のことだ。

　驚くべきことに、私の〈都合のよい仮説〉は、真実とほぼ一致していた。三十分待っても待ちあわせ場所に相手が現れず、こうなったら直接向こうの高校に出向いてやろうと自転車を漕いでいる最中に、瑞穂くんは私を轢いたらしかった。あのとき私たちが同じ方向に避けて正面衝突していなかったら、そのまますれ違ってしまっていたかもしれない。私はその偶然に感謝する。

「告白することがあるんだ」と瑞穂くんがいって、私は愚かしくもそれを愛の告白と勘違いして大いに取り乱す。彼も私と同じ気持ちでいてくれればいいと常日頃考えていたせいで、他の可能性にまで思いを巡らせることができない。ああどうしよう、と私は葛藤する。瑞穂くんの気持ちはすごく嬉しいのだけれど、私はその気持ちに答えるわけにはいかない。なぜなら彼が恋をしているのは目の前にいる〈秋月霧子〉とは別人だからだ。本来であれば今すぐ「あなたが恋をしているのは私ではなくて、私が作り上げた虚構の人物〈日隅霧子〉の方なんです」と教えてあげなければならない。

しかし言葉は喉に詰まって出てこない。このまま黙っていれば瑞穂くんが愛の言葉を囁いてくれるのかと想像した途端、倫理も良心も誠意も消え失せる。真実を話すのは彼に告白してもらった後でもいいだろう、と私のずるい部分がいう。束の間の幸福を潰れるほど抱き締めた後で、自分が彼に愛される資格のない〈秋月霧子〉であることを明かして軽蔑されればいい。告白の前だろうと後だろうと、大した差はない。こんな人生なのだ、一瞬くらい夢を見せてもらったっていいじゃないか。

「中学の頃から、ずっと、霧子に隠し事をしていた」

そんなに昔から想ってくれていたのか、と私は嬉しくなる。同時に悲しくなる。私はそんなに昔から瑞穂くんを裏切り続けていたのか。居もしない〈日隅霧子〉の幻想を見せて、彼を弄んでいたのか。

私の良心が息を吹き返す。「あの、瑞穂くん、私……」と勇気を出して切り出すが、瑞穂くんはそれに被せるようにいう。

「今さら許してもらおうとは思わないけれど、それでも君に謝らなければならない」

謝る？

自分が何か重大な勘違いをしていることに、ここでようやく気づく。

彼が告白しようとしているのは私に対する愛の気持ちなどではない。

では、一体何を告白するのだ？

何を謝ろうというのだ？

「手紙の中の〈湯上瑞穂〉は、虚構の人物だ」と彼はいった。「彼は、霧子と文通を続けるために僕が創作した人物に過ぎない。ここにいる僕、つまり本物の湯上瑞穂は、手紙の彼とはまったくの別人なんだ」

「それは、一体……」私は半ば放心状態で訊き返す。「どういうことですか？」

「順を追って説明するよ」と彼はいう。

そして私は真実を知った。


自分のことばかり考えていた私は、瑞穂くんの告白を聞かされて、驚きのあまり自分の嘘を告白する機会を逸してしまう。彼が私と同じような理由で同じような嘘を同じような時期からついていたことが嬉しくて、また彼の容姿や雰囲気や喋り方が私の想像と完全に一致していたことが嬉しくて、嬉しくて嬉しくて嬉しくて、私は自分の秘密を明かすどころではなくなってしまったのだ。

いくらか平常心を取り戻した後、私は自分の口から思いもよらぬ言葉が出てくるのを聞いた。

「そうですか。瑞穂くんは、ずっと、私を騙していたんですね？」

私は自分を棚に上げて何をいっているのだろう？

「ああ」瑞穂くんは首肯する。

「本当は、友達なんて一人もいなかったんですね？」

「そうだ」彼はもう一度頷く。

「なるほど」

私はそこで一旦言葉を区切り、空になったミルクティーの缶を口元に持っていって啜るふりをする。

「蔑まれても構わないよ」と瑞穂くんはいう。「僕は君にそれだけのことをした。五年に亘って嘘を吐き続けてきたんだ。今日ここにきたのは、一度でいいから、十七歳になった霧子と話をしてみたかったからだ。これ以上は望まない。満足だよ」

彼は嘘吐きだが、誠実な嘘吐きだ、と私は思う。

そして、私は不誠実な嘘吐きだ。

「ねえ、瑞穂くん」と私は呼びかける。

「どうした？」

「次の問いにだけは、嘘偽りなく答えてください。私と会ってみて、どういう気持ちになりました？」

彼は溜息を吐く。

「嫌われたくない、と思った」

「でしたら」と私はすかさずいう。「私が友達になってあげましょう」

本来それを懇願する側の私は、瑞穂くんの誠実さを利用する。

彼は少しだけ目を見開いて、それからふっと微笑んで、掠れた声で「ありがとう」といった。

その嘘は必要のないものだったのかもしれない。素直に自分も友人が一人もおらず家でも学校でも虐げられていることを明かせば、瑞穂くんと私はある種の共依存に陥り、自暴自棄で不健全で爛れた関係に心地よくずぶずぶと沈んでいけたかもしれない。

でも私は、一度でいいから、普通の女の子として誰かと接してみたかったのだ。蔑まれることも哀れまれることもなく、家族も過去も関係なく、私の表現する私を見てほしかった。そして何より、文通の中で育んだ幻想を、現実でも――しかも一方的に――試してみたかったのだ。


私がその立場を利用して最初に行ったのは、二人で過ごす時間を増やすことだった。

「瑞穂くんは、他人と一緒に過ごす時間を増やすべきなんです」と私はいった。「見たところ、あなたの一番の問題は、〈一人のリズム〉に慣れきってしまっていることです。だから瑞穂くんは、まず〈二人のリズム〉から順に思い出していく必要があるんだと思います」

適当なでっちあげのつもりで私はいったが、それは常日頃自分について思っていることでもあった。

「いいたいことはわかる」と瑞穂くんはいった。「でも、どうやって？」

「私と会えばいいんですよ。もっと頻繁に」

「でも、霧子に迷惑をかけることにならないか？」

「瑞穂くんは迷惑ですか？」

「いや」彼はぶんぶん首を振った。「嬉しい」

「じゃあ、私も嬉しいです」

「……霧子は、ときどき意味のわからないことをいうよな」

「それは私がわかってもらえなくてもいいと思っているからです」

「なるほど」

彼は肩を竦めた。

私たちは一週間に三日、月水金の放課後を二人で過ごすようになった。駅には私の知りあいが現れる危険があったので、そこから五分ほど歩いたところにある洋風住宅街にある、小川沿いの散歩道の脇に設置されたガゼボを待ちあわせ場所とした。

緑色に塗られた六角形の屋根の下に長椅子が一つある小振りなガゼボで、私たちは二人の間に置かれたCDプレイヤーから伸びる一つのイヤホンを半分こした。交代でCDを持ってきて、それを二人でじっくり聴いた。私たちは手紙の中で膨大な量の言葉を交わしあっていたが、手紙というものの性質上、共有できるのは過去に起きた出来事のみだった。だからこうやって現在進行形の経験を共有するのには新鮮な面白さがあった。

時折感想を漏らしたり聴きどころを説明したりはするけれど、基本的に私たちは無言で音楽に聴き入った。二人を繋ぐイヤホンのコードは短く、自然、私たちは身を寄せあうことになり、ふとした拍子に肩が触れあうこともあった。

「霧子、窮屈じゃないか？」瑞穂くんは照れ臭そうに訊いた。

「そうですね。でも、瑞穂くんが人に慣れるためには、このくらいが丁度いいんじゃありませんか？」

私はもっともらしい理屈をつけてその距離を正当化した。瑞穂くんは「確かに」とだけいうと、私の肩に寄りかかってきた。「重いです」と私は文句をつけたが、彼は音楽に集中しているふりをして無視した。

やれやれ、と私は呆れた。瑞穂くんにではなく、自分自身に。私は嘘によって得られた立場を利用して、一人の男の子をいいようにしている。それは絶対に許されることのない下劣な行為だ。雷に打たれても落石に潰されても自動車に轢かれても文句はいえない。

いつかは本当のことをいわなければならない、と思う。でも私の誠実さは、瑞穂くんの奥ゆかしい笑顔を見るたびに、彼の体が私に触れるたびに、「霧子」と名前を呼んでもらえるたびに、大いに揺らいでしまう。

もうちょっとだけ。もうちょっとだけ、この夢に浸らせてはくれないだろうか。そうやってずるずると嘘を吐き続ける。

でも瑞穂くんと再会してから一箇月が過ぎた頃、唐突にその関係に終わりがくる。仮面が剝がれ、彼は私の素顔を目にすることになる。

盗難事件が起きた翌日から、私は同級生から盗人扱いされるようになる。以前から根も葉もない売春の噂《うわさ》を流されていたので今さら泥棒呼ばわりされても何とも思わないが、もともと手癖の悪い者の多いこの高校では財布や小物の盗難は日常的に起きていて、それらの責任がすべて私に擦《なす》りつけられることになってしまう。一度も入ったことのない三年生の教室で起きた学生証の盗難も私の仕業にされる。そんなものを盗んで私にどんな得があるというのだろう？

放課後、校門を出てしばらく進んだところで待ち伏せていた連中に捕まり、私は鞄の中身をすべて道路に撒かれる。制服のポケットや財布の中まで入念に調べられる。この分だと既にロッカーや机の中も荒らされているのだろう、と私は思う。

もちろん目当ての学生証が出てくるはずもなく、二十分ほどで捜索は終わる。でもそれで終わりというわけにはいかない。連中は腹癒《はらい》せに私を用水路に突き落とす。水は張っていなかったが、腐臭を放つぬめぬめとした泥や枯葉が二十センチ近く積もっている。着地と同時に足を滑らせて私は泥に埋まる。そこに鞄の中身が次々と降ってくる。笑い声は次第に遠ざかっていく。

太腿に鋭い痛みを感じる。転んだ拍子にガラスか何かが掠ったらしく、ぱっくりと傷口が開いてそこから血が溢れている。こんな汚いところにいたら黴菌《ばいきん》が入ってしまうかもしれない。一刻も早くここから出なければ、と思う。それなのに私の足は動かない。原因は痛みではないし、グロテスクな傷口を見たことによるショックでもない。胃が強く握り締められるような感覚があって、呼吸のリズムがおかしくなってくる。

どうやら私は人並みに傷ついているらしい。

中学生のときに冬のプールに突き落とされた経験に比べればどうということはない、と自分に言い聞かせる。冷たい泥の中で、仰向けになったまま考える。用水路は私の背丈よりもずっと深い。跳躍して縁に手が届いたとしても、這い上がるのは難しいだろう。どこかに梯子があるはずだ。でもそれを見つける前に、あちこちに散らばった鞄の中身を拾い集めなければならない。ノート類はもう使い物にならないだろうから、最低限の物だけ持っていこう。今日は待ちあわせ場所にいくのを諦めよう。体調を崩したとでもいえばいい。ここから出ることができたら、真っ直ぐ家に帰って、制服を手洗いしてから洗濯機に放り込み……後のことはそれから考えよう。

瑞穂くんと一緒に聴くはずだったCDが傍に落ちていて、拾ってみると中身が割れている。私は辺りを見回す。ただでさえ真っ暗な上に、用水路の両脇にはフェンスがあり、私の姿は誰の目にも映らない。だから私は久しぶりに泣いてみる。両膝を抱えて縮こまり、嗚咽《おえつ》を漏らす。一度泣き始めると涙は際限なく出てきて、私はやめどきを見失ってしまう。

私を用水路に突き落とした連中は鞄の中身のすべてを泥の中に捨てたわけではなかった。何枚かのプリントやノートは道路に残され、風に飛ばされて散らばった。そしてそのうちの一つを、遠回りして帰宅しようとしていた瑞穂くんが拾い上げることになった。耳のよい彼は、風の音に混じった私の泣き声を聞き逃さなかった。

誰かがフェンスをよじ登り、こちら側に降りてくる音がした。私は慌てて泣き声を抑え、じっと息を潜めた。それが誰であれ、泥塗れで泣いている姿など見られたくなかった。

「霧子？」という聞き慣れた声がして、私の心臓は凍りつきそうになった。咄嗟に顔を伏せて正体を隠す。どうして、と私は狼狽する。どうして瑞穂くんがここにいるのだろう？　どうして用水路の中で蹲《うずくま》っているのが私だとわかったのだろう？

「霧子なんだろう？」

再び彼がいう。私は沈黙を守る。でももう一度名前を呼ばれたとき、私は正体を明かす決心をする。

どうせ、いつかは明かさねばならなかったことだ。それをいつまでも先延ばしにしていたから、こんな最悪の形で嘘が露見することになったのだろう。

ばちが当たったのだ。

私は顔を上げて、訊く。

「どうして、私がここにいるってわかったんですか？」

彼はその質問には答えない。

「ああ、やっぱり霧子か」

それだけいうと、瑞穂くんは何かを上空に放り投げ、ひょいと飛び降りてきて、どぶの中に尻餅をつく。飛沫が上がり、私の顔に数滴泥が跳ねる。さらに、遅れて色々なものが降ってくる。投げたのは蓋を開けた学生鞄だったらしく、彼の教科書やノートや筆箱といったものが次々と泥に落ちる。

瑞穂くんは先ほど私がそうしていたように、仰向けになってじっとしている。服も髪も泥だらけになるのも構わず。

しばらく、互いに無言でいる。

「なあ、霧子」

「はい」

「見ろよ、あれ」

瑞穂くんは真上を指差す。

そういえば今日は冬至だったな、と思い出す。

私たちは並んで寝転び、どぶの中から満月を見上げる。

太腿の怪我のことは彼にはいわないでおいた。これ以上、心配をかけたくなかった。びちゃびちゃと足音を立てて暗い用水路を歩きながら、私はぽつぽつと嘘を告白していった。中学生の頃からずっと、手紙に嘘を書いていたこと。義父と義姉がきてから家がおかしくなってしまったこと。同時期から学校でも虐められるようになり、どこにも居場所がなくなったこと。そしてこれまでされてきた仕打ちの数々。

彼はわざとらしい相槌を打ったり申し訳程度の感想を述べたりはせず、黙って私の話を聞いてくれた。以前一度だけ、週に一度高校にやってくるスクールカウンセラーに悩みを打ち明けてみたことがあったのだが、二十四歳の大学院生であるそのカウンセラーはこちらが何かいうたびにうんざりするくらい大袈裟かつ形式的な相槌を返してきたものだった。私にはどうもそれが〈話を聞いてやっている〉という過度なアピールに感じられ、誠実さを押しつけられているようで居心地が悪かったのをよく覚えている。だから瑞穂くんが黙って話に耳を傾けてくれるのが嬉しかった。

私は彼に自分の真実の姿を知ってほしかっただけで、憐憫《れんびん》を求めていたわけではない。だから家庭内暴力や虐めに話題が及んでも、極力淡々と説明する努力をした。

しかし、それでも私が彼を困らせてしまっていることに変わりはなかった。こんな深刻な打ち明け話をされたら、誰だってある種の義務感に駆られずにはいられない。〈彼女に、何か慰めになることをいってやらなければならない〉。

でもそんな魔法のような言葉は存在しない。私の抱える問題はあまりに込み入っていて具体的な解決策は提示しようがないし、かといって「辛かっただろうね」「それに耐えている君は偉いよ」といった承認で救われるような段階はとうに過ぎてしまっている。私と同じ状況に陥ったことがあり、尚且《なおか》つそれを乗り越えてきた人がいうのでもない限り、あらゆる慰めの言葉は空虚に響いてしまう。

そもそも、誰かが誰かを慰めるなんて本当に可能なのだろうか。突き詰めれば、自分以外の人間は皆部外者に過ぎない。人は、自分のために祈る過程の中に他人のための祈りを組み込むことはできるだろう。しかし純粋に他人のために祈ることは不可能ではないのか。結局のところそれは広義での利害が一致しているかどうかに依存するのではないか。

彼も多分、同じようなことを考えていた。これまで与えられてきた苦痛について語り続ける私の手を、何もいわず握ってくれた。はっきりと異性として意識している人と手を繋いだのは、生まれて初めてだった。

照れ隠しをいうつもりが、私はつい、彼を突き放すようなことをいってしまった。

「こんなこと、瑞穂くんに話したところで、どうにもならないですよね」

私の手を握る力が一瞬弱くなった。察しのいい瑞穂くんは、その発言に隠された意図に気づいていた。

そう、私は暗に問うているのだ。

〈あなたに私が救えますか？〉

三十歩ほどの間、沈黙が続いた。

彼は私の名を呼ぶ。

「なあ、霧子」

「なんでしょう？」

直後、私は瑞穂くんに肩を摑まれ、背後の壁に押しつけられた。一連の動作は穏やかに行われたので壁に頭や背中を打ちつけはしなかったが、その行動はあまりに瑞穂くんらしくなくて、私は咄嗟の冗談もいえないほどうろたえてしまった。

彼は私の耳元に口を寄せ、囁いた。

「本当に何もかもが嫌になったら、そのときはいってくれ。僕が、君を殺してあげよう」

それは、彼なりに考え抜いた末に出た答えだったのと思う。

「……瑞穂くんは、冷たい人ですね」

私が心にもないことをいったのは、〈ありがとう〉なんていったら、そのまま泣いてしまいそうだったからだ。

「そうだな。多分、僕は冷たい人なんだろう」

瑞穂くんは寂しそうに笑った。

私は彼の背中に手を回し、ゆっくり引き寄せた。

彼はそれに同じやり方で応えてくれた。

私は知っていた。一見狂気染みたその発言は、彼がこれ以上ないほど真剣に、私を救済する手段を考えてくれた証拠だということを。帰するところ、どうしようもなくどうしようもないことをどうにかしようとするには、それしか方法がないのだ。

何より重要なのは、私がただ殺されるのではなく、瑞穂くんに殺されるという点だ。

信頼する男の子が、いざとなったら私のすべての苦痛に終止符を打つと約束してくれる。それ以上慰めになる約束を、私は聞いたことがない。今までも、そして多分、これからも。

瑞穂くんの家でシャワーと着替えを借りる。親が帰ってくるのはいつも十二時過ぎらしい。制服を洗濯している間、私たちは一時の気の迷いに身を任せ、ほんのちょっとだけ年頃の男女らしいことをしてみる。それは傍から見れば取るに足らないじゃれあいに過ぎないのだろうけど、私のような人生を送ってきた者にとっては、数日間放心状態になるくらいの大事件だった。

私たちが結ぼうとしているのはどこまでも不健全で出口のない関係だ。でもよくよく考えてみれば出口なんて最初からどこにもないから、私は安心して底なし沼に飛び込むことができる。

そのようにして私たちの心の距離は縮まったけれど、表面的には今まで通りの関係が続く。変わった点といえば、放課後の待ちあわせの頻度が二倍に増えたことと、並んで音楽を聴いている間、瑞穂くんがいつも首に巻いている臙脂色のマフラーが私の首にも巻かれるようになったことくらいだ。

景色から色味が抜け落ち、雨の代わりに雪が降るようになり、薄鼠《うすねずみ》色の冬がきた。私たちはその日もコートを着て身を寄せあい、ガゼボの中で音楽を聴いていた。前日も前々日も寝不足だった私は、堪えきれずに何度もあくびをした。

瑞穂くんは苦笑いした。「退屈だった?」

「いえ、そういうわけじゃないんです」私は目を擦りながらいった。「最近、馴染みの図書館で改修工事が始まってしまったんです」

それだけで意味が通じるはずはないので、寝不足の日には図書館の自習室で眠っているという話をつけ加える。

「やっぱり、家だと眠れないのか?」

「はい。特に最近は、義姉の知人の出入りが激しくて。義父はどれだけうるさくても眠れるから、そういうのは注意してくれないんです。昨晩は午前二時半時頃に突然叩き起こされて、ピアス穴を開ける実験台にされました」

私は髪を耳にかけ、耳に開いた二つの小さな穴を見せた。瑞穂くんは顔を近づけ、それをじっと見つめた。

「放っておけばそのうち塞がるとは思いますが、消毒液も軟膏も使われなかったから、ちょっと心配です」

「痛かっただろう？」

「いえ、それほど。刺されるのは、一瞬ですから」

瑞穂くんの指が、出来たての傷口の周辺をなぞる。「くすぐったいです」と私がいうと彼は面白がり、まるで暗闇の中で形を確かめるみたいに私の耳を五本の指で丹念に触る。耳の裏や耳朶《みみたぶ》を擦られると頭の芯がぞくぞくとして、何だか後ろめたいことをしているような気分になる。

「最近では、たとえ義姉や義父が大人しくしていても、家で眠ることに抵抗を覚えるようになってしまいました。図書館が、一番よく眠れるんです。横にはなれませんし椅子は硬いですけど、ＣＤや本がありますし、とても静かで、何より会いたくない人たちと会わずに済みますから」

「その図書館が、改修工事中なのか」

「少なくとも、あと二十日間は利用できないみたいです。他にもああいう場所があればいいんですけど」

私の耳を弄るのをやめて、瑞穂くんは考え込んだ。顎に手を当てて目を閉じる。

そして何かを閃く。

「霧子のいうような条件をほとんど満たしている場所を、僕は一箇所知ってる」

「……え、知りたいです。切実に」

私が身を乗り出すと、瑞穂くんは不自然に目を逸らした。

「そこは図書館と比べれば冊数は格段に劣るけれど、悪くない本が揃っている。もちろん音楽だって聴ける。林に囲まれた場所だからおそろしく静かだし、閉館時間のようなものもない。料金もかからない上に、横になれる場所まであるんだ」そこまでいうと、彼は私の目を見つめた。

「ただ、一つだけ致命的な減点対象がある」

私は笑いそうになるのを堪えながらいった。「そこは、瑞穂くんがいつも寝起きしている場所なんでしょう？」

「その通り」彼は頷いた。「だから、あんまりいい提案とはいえない」

「正直にいわせてもらいますと、それ、私にとっては大幅な加点対象です。瑞穂くんの側に問題がないのであれば、今すぐお邪魔したいところです」

「……じゃあ、今日の音楽はこれくらいにしておこうか」

瑞穂くんはＣＤプレイヤーを止め、私の耳からそっとイヤホンを外した。

私は瑞穂くん以外の異性の部屋に上がったことがない。だからその部屋が異様なまでに物が少なく生活感に欠けているのが果たして彼の性格の表れなのか、もしくは男の子の部屋というのは一般的にこういうものなのか、判別がつかない。ただ、隙間なくぎっちりと本が詰まった天井まで届きそうなほど巨大な本棚が、平均的な十七歳の男子高校生の部屋にあって然《しか》るべきものではないということだけはわかる。近づくと、ほんのりと古い紙の匂いがする。

瑞穂くんが貸してくれた寝間着に着替え、裾を三回折り返した後、「お待たせしました」とドアの外に呼びかけた。彼の中学時代のジャージを着た私を、瑞穂くんは物珍しそうに眺めた。視線がくすぐったくて、私は本棚を指さして彼の視線をそちらに誘導した。

「驚きました。すごい量の本ですね」

「でも、全部を読んでいるわけじゃない」彼は自嘲するようにいった。「そもそも本が好きというわけでもないんだ。どちらかといえば、収集癖に近い。古本屋を回って、専門誌で頻繁に名前を見かけるような〈一応は信頼に値する作品〉を買うのが好きなんだ」

「勉強熱心なんですね」

彼は首を横に振った。「冷めやすい性格で、何を始めてもすぐに飽きてしまうんだ。だからいっそのこと、自分が一番退屈だと思うものを趣味にすることにした。なぜだと思う？」

「失望のリスクがもっとも少ないから、でしょう？」

「そう。そして辛抱強く接し続けているうちに、読書が好きになるとまではいかなくとも、読書が好きな人たちの気持ちがわかるようにはなった。大きな進歩だ」彼はベッドのシーツの皺を伸ばし、毛布を捲り、枕の位置を整えた。「でも今はこの話はやめておこう。準備が整った。思う存分、寝てくれ」

ひんやりとしたシーツの上に腰を下ろし、毛布の下に潜り込んで枕に頭を載せる。自分でもその動きがぎこちないのがわかる。でも緊張するなという方が無理な話だ。想いを寄せる男の子のベッドに寝て緊張しない女の子がいるとしたら、その子は既に人間として大切な何かを失ってしまっているとしか思えない。

私は瑞穂くんの匂いに包まれる。上手く表現できないけれど、つまるところそれは他者の匂いだ。自分からは絶対にしない匂い。唯一抱き締めてもらえたあのときは用水路の中だったからわからなかったけれど、多分瑞穂くんの胸に顔を埋めたらこんな香りがするのだろう。そして彼の匂いは私の中で安心感や楽しさや愛おしさと離れ難く結びついている。私はその毛布をこっそり持って帰りたいとさえ思う。

「頃合を見て起こしに戻ってくるよ。じゃあ、おやすみ」

瑞穂くんはカーテンを閉め明かりを消して部屋を出ていこうとしたが、私はそれを引き止めた。

「あの、私が眠りに落ちるまで、傍にいてくれませんか？」

彼は幾分か気後れした様子でいった。「僕としては全然構わないんだけれど、何というか……霧子は、僕が変な気を起こしたらどうするつもりだ？」

顔がほんの少し熱っぽくなったが、明かりが消えているおかげでそれを知られずに済んだ。

そうか、瑞穂くんは私のことを異性として意識してくれているのか。

ずっと知りたかったこと、彼が私に向けてくれる好意は純粋に友人としてのものなのか、そこに異性としての好意も多少は含まれているのかという疑問が、ここにきて解消する。胸の中にじわりと温かいものが広がる。

「そのときは、形ばかりの抵抗をします」と私はいった。

「形ばかりじゃ駄目だよ」と彼は照れ臭そうに笑った。「僕に何かされそうになったら、眉間に一発、きつい一撃を与えるといい。僕みたいな臆病者は、それですぐ正気に戻るから」

「わかりました。覚えておきます」

絶対に眉間を叩くことだけはしないようにしよう、と私は胸に刻み込んだ。

瑞穂くんは読書灯をつけて本を読み始めた。私は薄目でじっとそれを眺めていた。

多分、私はこの光景を、これから一生忘れることができないだろう。

そう考えながら、眠りについた。

それからというもの、私は頻繁に彼の部屋でベッドを借りるようになった。私が寝間着に着替えて毛布に潜ると、瑞穂くんは聞こえるか聞こえないか程度に音楽を流し、私の意識が遠退くにつれて徐々に音量を落としてくれた。ぐっすり眠って目を覚ますと、温かい紅茶を淹れてくれた。そして自転車の後ろに乗せて、家まで送ってくれた。

まどろみの中、瑞穂くんがずれた毛布をそっと直してくれているのを見て以来、私は最低限の寝返りで自然に毛布をずらす術を習得した。難しいのは、彼がそっと毛布を摘まんで引き上げてくれた直後、つい微笑みそうになってしまうのを堪えることだった。笑顔として表出するのを抑えることで、私の内部で生じた温もりはいつまでもそこに残り、彼を慕う気持ちは一層大きくなるようだった。

一度、間近で顔を覗き込まれたことがあった。そのとき私は目を瞑《つむ》っていたけれど、かすかに聞こえる息遣いで、彼がベッドの脇にしゃがんでじっとしているのがわかった。

結局、瑞穂くんは何もしてこなかった。仮に何かされたとしても、私はそれを素直に受け入れただろう。いや、私はそれを待ってさえいたのだ。正直にいって、彼が〈変な気〉を起こしてくれたらとても嬉しい。だって私は十七歳で、かつ彼も十七歳なのだ。十七歳というのは自分ではコントロールしきれないあれこれではちきれそうな存在なのだ。

でもやっぱり、彼が読書している横で何もかもを曖昧にしたままぐっすり眠る以上のことを、今はまだ望まない。本当にどうしようもなく互いに我慢しきれなくなるまで、私はこの不完全さゆえの完全さに浸っていたいと思う。ベッドに腰掛けた瑞穂くんの膝の上に私は頭を載せる。子守唄を歌ってください、と私は我侭《わがまま》をいう。彼は小声で『ブラックバード』を口ずさんでくれる。

そうやって悠長にしている間に、終わりはどんどん近づいていた。薄々勘づいてはいたが、私が考えているよりもずっとすさまじい速度で、それは忍び寄ってきていたのだ。

もし自分たちに残された時間があと一箇月もないと知っていたら、私たちはもっと早くに互いの気持ちを隅から隅まで伝えあい、恋人同士でするようなあれこれを片端から試していたに違いない。

でもそれは叶わなかった。

十二月末の薄暗い土曜日に、私は瑞穂くんを連れて遠くの町に出かけた。電車に一時間ほど揺られ、ごみ捨て場と見紛うほど小さな駅で降りた。待合室には持ち主を失った蜘蛛の巣が張り巡らされており、ホームには毛糸の手袋が片方だけ落ちていた。

三十分ほど歩いて辿り着いたのは、丘上の公営墓地だった。拓《ひら》けた野原に、点々と墓石が並んでいた。そのうちの一つが私の父の墓だった。

私は花も線香も持っていなかった。軽く手をあわせると、墓石の前に座り、瑞穂くんに父の話を聞いてもらった。大して思い出らしい思い出もないけれど、私は父のことが好きだった。小さい頃、私が母に叱られたり友達と上手くいかなかったりして落ち込んでいると、父は「ドライブにいこう」と誘ってくれたものだった。何もない田舎道を走りながらカーステレオで古臭い音楽を流し、その聴きどころを子供の私にもわかるように嚙み砕いて説明してくれた。ピート・タウンゼントの言葉を教えてくれたのも父だ。

ひょっとすると、私が貪るように音楽を聴くのは、そこに彼の存在を感じるからなのかもしれない。まだ家が平和で、私が何の心配もしなくてよかった頃の象徴である父の存在を。

父の話を終えたところで、私は唐突に切り出した。

「義父が、借金を作っていたようです。あの賭博狂いのことだからいつかはそうなるだろうとは思っていましたが、その金額は私の予想をはるかに上回っていました。普通の方法では、もう、どうやったって返済できません。借金の相手もまともな相手ではないようですし、原因が賭け事だから自己破産も難しいそうです」

家では両親の争いが絶えない。さすがに今回ばかりは後ろめたさがあるのか、義父はまだ暴力に訴えてはいないが、それも時間の問題だ。次に義父が逆上したとき、どんな形かはわからないが、何か、取り返しのつかないことが起きるだろう。そんな気がする。

私は義父の行為を〈先送り〉することができない。彼の作った莫大な額の借金は、確実に私の人生を台なしにするだろう。でもそういったじわじわと効いてくる類の不幸に対して、私の魔法は力を発揮できない。〈先送り〉するのに必要なだけの魂の叫びを発するには、具体的で直接的で集中的でわかりやすい苦痛が要る。

その上、仮に私が借金を〈なかったこと〉にできたとして、義父が同じ過ちを繰り返さないとは限らない。結局、私の魔法なんて何の役にも立たないのだ。

立ち上がり、服の汚れを払う。

「さて、瑞穂くん。私は、そろそろ疲れてしまいました」

「そうか」

「あなたは、どんな方法で私を殺してくれるんですか？」

彼は答えず、私を睨みつける。何かが気に障ったらしい。そんな表情を向けられるのは初めてで、私はたじろぐ。直後、瑞穂くんはかなり強引なやり方で私にキスをする。ファーストキスを墓場で交わすというのが実に私たちらしくて、そんなどうしようもなさを、私はただひたすらに愛おしく思う。

四日後、ついにそのときがくる。


帰宅して最初に目に飛び込んできたのは、母の死体だった。

いや、そのときはまだ死体ではなかったのかもしれない。即座に適切な処置を行えていれば助かる状態にあったのかもしれない。だがいずれにせよ、数時間後に脈拍を確かめたときにはもう死体だった。

床に転がっている母が普段と違う服装をしていたら、私はそれが自分の実の母親だとわからなかったかもしれない。それくらい徹底的に、彼女の顔の肉は叩き潰されていた。

頭が、真っ白になった。

義父は椅子に座りグラスに酒を注いでいた。母に駆け寄ろうとすると、彼は鋭い声で「放っとけ」と制した。構わず母の傍にしゃがみ込み、腫れ上がって血塗れの顔を覗き込んで息を呑んだ次の瞬間、こめかみの辺りに強烈な衝撃と痛みを感じた。

義父は床に倒れた私の腹部を蹴り飛ばし、膝を抱えて蹲る私の髪を摑んで強引に蝶き起こして今度は鼻の付け根を殴った。視界が真っ赤に染まり、温かい鼻血が溢れてきた。いつもは家庭内暴力が表に出るのを恐れて顔だけは狙わない彼だったが、今日は完全に箍《たが》が外れているようだった。

「お前も俺を追い出したいんだろ?」と義父はいった。「追い出してみろよ。俺はどんな手を使ってでもお前らに一生ついて回るからな。お前らは俺から逃げられないんだよ。家族だからな」

再び鳩尾の辺りを蹴られて呼吸困難に陥る。私は長い嵐を覚悟する。瑞穂くんと会うときのために、せめて顔だけは死守しようと両腕で防御する。そして肉体と意識を完全に分離させて、空っぽにした頭を音楽で満たす。ジャニス・ジョプリンの『パール』を頭から順に流す。『ア・ウーマン・レフト・ロンリー』が終わる頃に義父の暴力が一旦やむが、それは単にあまりに長い間母を殴り続けたせいで彼の拳が使い物にならなくなったというだけで、そこからは革ベルトを使った方法に移行していく。ずっしりとした本革のベルトを鞭のように振り回して、義父は私を何度も打つ。一撃ごとに、生きているのが煩わしくなるくらいの痛みに襲われる。ジャニスがマルボロを買いにいった後に釣り銭の四ドル五十セントを握り締めたままヘロインの過剰摂取で死んでしまったために仮録音のアカペラのまま収録されているラストトラックの『メルセデス・ベンツ』が終わっても、彼の執拗《しつよう》な暴力は終わる気配を見せない。私は考えるのをやめる。見るのをやめる。聞くのをやめる。感じるのをやめる。

何度目かの失神から目覚めた。気づけば嵐がやんでいた。缶ビールを開ける音がした。ナッツを齧《かじ》る音が部屋に響いた。ばりぼりぼりぼり。ばりぼりぼりぼり。私には立ち上がるだけの体力が残っていなかった。何とか首を動かして、壁の時計を見上げた。帰宅してから四時間以上が経過していた。立ち上がろうとしたが、両手首が手錠のようなもので拘束されていて上手く動けなかった。ケーブル等をまとめるときに使う結束バンドだろう。私が抵抗できないよう、後ろ手に縛られていた。

体中、みみず腫れだらけだった。血だらけのブラウスはボタンが壊れて半分脱げかけており、肌の露出した首から背中にかけて焼けるように痛んだ。いや、実際に焼かれたのだろう。これはそういう種類の痛みだ。傍にコンセントが刺さったままのアイロンスタンドがあったから、多分そういうことだ。口の中に何か硬い物が転がっていた。出して確かめるまでもなく、それは奥歯だった。やたら苦い味がすると思ったら、歯の折れた箇所からの出血が原因のようだ。血でうがいができそうだった。

父がトイレにいった隙を見計らって、私はぴくりとも動かない母に這いよって、手首に触れた。

脈がなかった。

何より先に、〈ここにいたら自分も殺される〉と思った。母の死を悼むのは安全な場所まで逃げた後だ。とにかくあの男から離れなければならない。私は這ってリビングを出て、廊下を進む。玄関までくると、最後の力を振り絞って立ち上がり、後ろ手でドアを開けて外に出る。そこからまた懸命に這いずる。

一度離れた肉体と意識は中々結合しない。私は自分の身に何が起きたか理解しているのにそれをまだ実感することができない。今こそすべてを〈なかったこと〉にすべきなのに、この期に及んでまだ私はそれらを他人事のように捉えてしまっている。あるいは私はとっくに壊れてしまっているのかもしれない。肉親が殺されたというのになぜこんなに冷静でいられる？

肩を摑まれる。背筋が凍る。叫び声すら出てこない。恐怖で身が竦み、全身の力が抜ける。

それが瑞穂くんの手だと気づいた瞬間、私はあまりの安心感にそのまま気絶しそうになる。そして今さらのように涙が出てくる。ぼろぼろぼろぼろぼろぼろ溢れてくる。わけがわからなくなる。どうして彼がここにいるのだろう？　こんな姿、見られたくないのに。

結束バンドを外してもらい両手が自由になると、私は何より先に殴られて血だらけの顔を隠す。瑞穂くんはコートを脱いで私にかけ、ぎゅっと抱き締めてくれる。私は彼にしがみついて、思う存分泣き喚く。

「何があったんだ？」と彼が訊く。その声は私を落ち着かせるために極力穏やかに調整されてはいるが、彼の内側にどす黒い感情が渦巻いているのが呼気の震えから伝わってくる。

私は要領を得ない断片的な言葉を紡いで説明する。家に帰ったら母親が倒れていたこと。駆け寄ったら私まで殴られたこと。その後四時間以上に亘って色んな種類の暴力を振るわれたこと。それがやむ頃には母親が死んでしまっていたこと。彼はそれを辛抱強く聞き、迅速に理解してくれる。

その決断までに、彼はほとんど時間を要さない。

「ちょっと待っててくれ。すぐに、済むと思うから」

そういうと、彼は私の家に入っていく。何をするつもりだろう、という疑問さえ混乱しきった私の頭には浮かばない。早いところ、義父のしでかしたあれこれを〈なかったこと〉にしなければならないのに、私ときたら、瑞穂くんが現れてくれたことへの感謝が邪魔をして、魂の叫びが出てこない。

雪が降り始めていた。

瑞穂くんは五分とせずに戻ってきた。

顔もシャツも血塗れの彼を見て、私は、嘆くよりも先に、それを美しいと思ってしまった。

彼が何を済ませてきたのかは、その手に握られた包丁が物語っていた。

「嘘吐き」と私はいった。「殺す相手を間違ってますよ。私を殺してくれる、っていったじゃないですか」

瑞穂くんは笑った。「僕が嘘吐きなことくらい、最初からわかっていたことじゃないか」

「……いわれてみれば、その通りですね」

彼は間違いを犯してしまった。

それは考えうる限り最悪の結末だった。

でも私は、それを〈先送り〉することができなかった。

彼が私のためにしてくれた決意を、〈なかったこと〉にするのは不可能だった。

「ねえ、瑞穂くん」

「ああ」

「逃げましょう。少しでも遠くへ」

彼は私を背負って歩き出す。駅の駐輪場で鍵のかかっていない自転車を盗み、荷台に私を乗せて漕ぐ。

その逃避行に先がないことは二人とも承知している。本気で逃げるつもりは毛頭ない。

ただ、別れをいう時間がほしかっただけだ。

高校を出たら一緒に暮らそう、と瑞穂くんがいう。

不可能と知りつつ、私にはそれに賛同する。

彼は一晩中自転車を漕ぎ続ける。紺色の空は徐々に紫色に変化し、くすんだ赤と青の二層にわかれる。そうして陽が昇り、自転車は朝陽の中を走る。冷え切った体がほんのりと温かくなり、道路にうっすらと積もっていた雪が溶ける。私たちはコンビニエンスストアに寄ってチキンとケーキを買う。店員は客に無関心そうな大学生で、私の顔を見ても何もいわず会計をしてくれる。それらをベンチに座って食べる。

「チキンとケーキなんて、誕生日みたいですね」と私ははしゃぐ。

「まあ、実際、ある種の記念日ではある」と彼は茶化す。

朝からパーティみたいな食事をとっている血だらけ痣だらけの高校生カップルを、登校中の小学生たちが不思議そうに眺める。そのうちの一人に「あれ、ハロウィンじゃない？　ハロウィンの仮装」といわれるくらい私たちは汚らしい姿をしている。瑞穂くんと顔を見あわせて、けらけら笑う。

再び移動を始める。途中、私と同じ高校の生徒の集団を追い越す。彼らの浮かれた様子を見て、今日が自分の高校の文化祭初日にあたることを思い出す。何だかそれはまるで遠く離れた世界の出来事のようだ。追い越した生徒の中には私を虐めていたクラスメイトも数人混ざっている。血だらけの男の子の漕ぐ自転車の荷台に乗って学校とは異なる方向へ運ばれていく痣だらけの私を見て、彼らは唖然としている。

私は瑞穂くんの背中に顔を埋めて声を上げて笑いながら泣き、泣きながら笑う。長い時間をかけて体内にこびりついた毒が洗い流されていくように感じる。

最後に、私たちは遊園地にいった。それは私の希望だった。一度でいいから、瑞穂くんと遊園地にいってみたかったのだ。かつて、私が父と母と幸せな時間を過ごした遊園地に。

血だらけのシャツやブラウスはコートの下に隠れていたけれど、私の顔の痣や彼の血の匂いは隠せなくて、すれ違う人々は遊園地に相応しくない暴力の雰囲気を漂わせる私たちをじろじろと見た。でも私も瑞穂くんもそんなことは意に介さず、手を繋いで園内を歩いた。

彼は観覧車に乗りたいといい、私はジェットコースターに乗りたいといった。しばらく無邪気にいい争い、結局彼が折れて、まずはジェットコースターに乗ることになった。

そしてこの辺りから、私の記憶は定かではなくなる。

かすかに思い出せるのは、その事故が、ジェットコースターに乗ってすぐに起きたということだけだ。

あるいはそれは、天罰だったのかもしれない。

瑞穂くんではなく、私への天罰。

異音。揺れ。浮遊感。金属音。衝撃。悲鳴。混乱。隣から聞こえる別の異音。がりがりがりがりがりがりがりがりがりがりがり。血飛沫。悲鳴。混乱。血飛沫。肉片。悲鳴。嘔吐。泣き声。

気づけば瑞穂くんはいなくなっていて、代わりに、瑞穂くんだったものがそこにあった。

私は、思う。

私と出会ったせいで、瑞穂くんは殺人犯になってしまった。

私と出会ったせいで、瑞穂くんはすり潰されて死んでしまった。

全部、私のせいだった。

私さえいなければ、こんなことにはならなかった。

瑞穂くんは、私と出会うべきではなかったのだ。

これまで、私は義父のことを疫病神だと思っていた。

でも違った。

私こそが、疫病神だったのだ。

疫病神の私が義父を呼び寄せ義姉を呼び寄せ、母を殺し瑞穂くんを殺したのだ。

最後の最後まで、私は瑞穂くんに迷惑をかけることしかできなかった。


久しぶりに、オルゴールの音を聞く。

私はこれまでにない、大規模な〈先送り〉を実行する。数箇月前のあの日まで遡り、私と瑞穂くんが再会した事実を〈なかったこと〉にする。私に、彼と出会う資格はない。

ただ、〈日隅霧子〉に罪はない。瑞穂くんの支えとなっていた彼女の存在まで消すことはない。だから〈なかったこと〉にするのは、再会の部分だけだ。あの日瑞穂くんがきてくれたという部分のみを消して、彼を平凡な高校生に戻す。

きっと大丈夫だ。瑞穂くんなら私がいなくても、普通に友達を作って、普通に恋人を作って、普通に生きていけるはずだ。

そして私はすべて忘れてしまおう。彼のいってくれたことを。彼のしてくれたことを。彼の手の温もりを。彼のくれた思い出を。

私に想われているというだけで、不幸が伝染《うつ》ることだってありうるのだから。


再会を〈なかったこと〉にした後、私は年を取れなくなった。翌年になっても私は高校二年生で十七歳のままだった。要するにそれは私の加齢が〈先送り〉されているということなのだが、自分ではそんなことを祈った覚えはなかった。

多分、心のどこかで、私は未練がましくこう思っていたのだろう。〈せめて、彼が愛してくれたときのままの姿でいたい〉。そうやって無自覚なままに、再会の日を待ち望んでいたのだ。

第10章　おやすみなさい

霧子の魔法が解けかけた今、〈なかったこと〉にされていたあれこれが、本来の姿を取り戻そうとしていた。

おそらくこの遊園地は、僕が死んだ事故がきっかけで廃園となったのだろう。園内は荒れ果てていた。解体途中で放棄されてしまったのか、夢の残骸は中途半端に破壊されたままそこに残っていた。

枯葉だらけのゴンドラを出て振り返ると、電気の通っていない錆びだらけの観覧車が、ごうごうと吹きつける寒々しい風によってかすかに揺れていた。運転台には誰もおらず、煤けたガラスが無惨に割られていた。

園内に残っているのは、僕と霧子だけのようだった。

「いつから、僕が湯上瑞穂だと気づいていたんだ？」と僕は訊いた。

「ハロウィンのあの日、帰りの列車に揺られながらあなたにもたれて眠ったとき、どこか、懐かしい感じがしたんです」と霧子はいった。「それが、きっかけでした」

ところどころ穴の開いた鉄階段を慎重に降り、僕たちは手を繋いで廃遊園地の中を歩いた。明かりはすべて死んだわけではなく、ところどころ残っている照明が明滅していた。石畳はひびだらけで、あちこちから雑草が生えていた。

枯れた蔦が巻きついた柵に囲まれたメリーゴーラウンドの白馬たちはすっかり塗装が剝げ、馬車のいくつかは横転していた。ローラーコースターの乗り場にはススキが生い茂り、車両はブルーシートで覆われていた。苔生《こけむ》したレールの上を徒歩で進むと、水の張っていないプールの中に瓦礫《がれき》の山が真下に見えた。ベンチ、看板、二人乗り用の自転車、ゴーカート、テント、腕がもげた兵隊の人形、鼻をなくしたピエロ、スケート靴、タイヤ、オイル缶、トタン板、薄汚れた花や鳥のオブジェ。

僕は訊いた。

「なぜ霧子は、自分の死は一箇月も〈先送り〉できないのに、それ以外の死は五年間も〈先送り〉することができたんだろう？」

「逆に考えると、わかりやすいでしょうね」と彼女はいった。「私は、自分の死だけは、五年間も〈先送り〉することができなかったんです」

なるほどな、と僕は納得した。

その理由は、多分、訊くまでもなかった。

霧子が復讐相手の中で父親だけは金槌で殴るに留めた理由も、今ならわかる気がした。彼に対する復讐だけは、既に僕が遂行していた。彼女が始めた復讐は、その続きに過ぎなかったのだ。

そして、最後の疑問。

霧子の死によって、これまで彼女が〈なかったこと〉にしてきたすべてが元通りになるのだとしたら、僕たちはどうなるのだろう？

僕が霧子を轢き殺してしまった事故の〈先送り〉が完全に解除されたとき、霧子は死ぬ。だが霧子が死んだ瞬間、今度は僕がこの遊園地で死んでいたという事実の〈先送り〉が解除され、そもそも霧子を轢き殺すはずの僕は存在していなかったことになる。タイムトラベルにおける〈親殺しのパラドックス〉の生死を正反対にしたような状況が生じるのだ。

霧子は、生き残るのだろうか？

僕の疑問を察したようなタイミングで、霧子はいった。

「瑞穂くんがいなくなったら、私も、すぐに後を追うと思います。これまでの罪の清算も兼ねて」

「駄目だ。許さない」と僕はいった。「何がどうあろうと、僕は霧子には生き続けてほしいんだ」

霧子は僕の背中にこつんと頭をぶつけてきた。

「嘘吐き」

返す言葉はなかった。

彼女のいう通り、僕は嘘吐きだ。

本心では、彼女が自分の後を追ってくれるのが、嬉しくて仕方ないのだ。

「……あと、どれくらい持ちそうなんだ？」と僕は訊いた。

「ほんのちょっとです」彼女は寂しげに微笑んだ。「ほんのちょっと」

「そうか」

もうすぐ訪れる自分の死に思いを馳《は》せる。だが、僕はそれを上手く悲しむことができない。

記憶が戻った今、僕は自分という人間が少なくとも一人の女の子にとっては救いとして機能していたことを知っている。

僕の魂は、ちゃんと燃えたのだ。

それ以上の何を望めというのだろう？

レールを降りて一通り遊具を見て回った後、僕たちは観覧車の正面に設置された鉄製のベンチに座ってもたれあった。毎日ガゼボの下で待ちあわせをして、一つのイヤホンで音楽を聴いていた頃のように。

小さな白い光の粒が、目の前を横切っていった。焦点があうまで、それが雪だとは気づかなかった。

そういえば今年の初雪は例年より早めに降るだろうとラジオでいっていたな、と思い出した。

雪の粒は徐々に、目を凝らさずとも見えるくらい大きなものに変わっていった。

「最後にこれが見られてよかったよ」と僕はいった。

「ええ」

声のトーンがほんの少しだけ変化していることに気づいて、僕は霧子に視線を移した。

気づけば彼女は、十七歳の少女ではなくなっていた。

「ねえ、瑞穂くん」二十二歳の霧子はいった。「あなたは私のこと、恨んでいますか？」

「霧子はどうだ？　君は、自分を轢き殺した僕のことを恨んでいるか？」

彼女は首を横に振った。

「私にとっては、瑞穂くんと一緒に過ごした時間だけが、本物の人生でした。あなたは私に命を吹き込んでくれたんです。一回や二回殺された程度では、まだまだお釣りがきます」

「なら、話は早い。僕もまったく同じ気持ちだ」

「……そうですか」

よかった、といって霧子は僕の左手に右手を重ねる。僕は手のひらを返して指を絡ませる。

「こんなことを今さらいっても、どうにもならないかもしれないけど」

「何でしょう？」

「僕は霧子のことを愛してるよ」

「知ってます」

「ほら、どうにもならなかった」

「私も、瑞穂くんのこと愛してます」

「知ってるよ」

「でしたら、キスでもしましょうか」

「そうしよう」

僕らは顔を近づける。

「あ、そういえば……」と霧子が寸前でいう。「結局、〈あれ〉は実在していたみたいですね」

「よくあんな昔の手紙のやり取りを覚えてるな」

「というわけは、瑞穂くんも覚えてるんですね？」

「ああ」僕は頷く。「〈あれ〉は、優しい嘘なんかじゃなかったらしい」

「そのようですね」霧子が微笑む。「最後に、それを知れてよかったです」

僕らは冷たい唇と唇を重ねる。

同時に、スピーカーから閉園を告げる音楽が流れ始める。

それを合図に、残り少ない明かりさえもぽつぽつと落ちていく。

遊園地は夜に飲み込まれる。

僕はこの世界が大嫌いだ。にもかかわらず、この世界を美しいと感じる。耐え切れないくらい悲しいことも許せないくらい理不尽なこともたくさんあるけれど、それでも、花や鳥や星でなく人間としてこの世界に生まれ落ちたのを、僕は恨んでいない。

霧子と日々交わしあった手紙。肩を寄せあって聴いた音楽。どぶから見上げた月。繋いだ手の温もり。墓場で交わした初めてのキス。もたれかかる小さな体から伝わってくる呼吸のリズム。薄暗いアパートで並んで弾いたピアノ。

そういった美しい記憶がある限り、僕はこの世界と背中あわせに手を握りあうことができる。

最後に僕は、メリーゴーラウンドの幻を見る。あるいはそれは霧子が最後の力を振り絞って見せてくれた、悲しいことすべてが〈なかったこと〉にされた世界だったのかもしれない。

白馬に跨って笑いあう僕たちは、小さな子供の姿をしていた。身を乗り出して手を伸ばし、指先が触れあう。ゆりかごのように優しく上下する木馬、幼年期に夢の中で聴いたような音楽、暗闇できらきらと明滅する電飾。

僕はその光景をいつまでも見ていたかったけれど、幻はマッチの火ほどの儚さで消える。

肩や頭に雪が積もっていく。瞼が下りてきて、僕の意識は徐々に遠ざかる。嘘と過ちで一杯の愛おしい日々は、いよいよ終わりを告げようとしている。

人一倍苦痛に塗れた人生を送ってきた霧子に向けて残すに相応しいのは、やはりあの、馬鹿げた気休めの言葉なのだろう。

僕は霧子の頭を優しく撫でた後、搾り出すように、その言葉を口にする。

いたいのいたいの、とんでゆけ。

あとがき

落とし穴がたくさんありました。少なくとも僕には世界がそういう風に見えていました。小さい穴、大きい穴、浅い穴、深い穴、わかりやすい穴、わかりにくい穴、まだ誰も落ちていない穴、既に大勢が落ちた穴。実に様々でした。その一つ一つについて考え出すと不安になって、もう一歩も動きたくなくなってしまうのでした。

子供の頃は、落とし穴のことを忘れさせてくれる物語が好きでした。僕に限らず皆、あらゆる落とし穴に蓋を被せた安全な世界について書かれた物語を好んでいるようでした。〈滅菌された物語〉とでもいいましょうか。もちろん主人公の身に起きるのは良いことばかりではなく、人並み以上に苦しいことや辛いことを経験しますが、最終的にはすべて彼の成長の糧となり、「人は何もかも受け入れて生きていけるんだ」という心強い感覚に浸れる。そういう話のことです。

僕たちは、虚構の中でまで悲しい思いをしたくなかったのだと思います。

でもある日、ふと気がつくと、僕は暗い穴の中にいました。何の前触れもない、理不尽な落下でした。非常に小さくわかりにくい穴でしたので、他人の助けは期待できそうにありません。ですが、幸いその穴は這い上がれないほど深いものではなく、僕は長い時間をかけてそこから自力で脱出しました。

地上に出た後、久しぶりに浴びる暖かい光と澄んだ風の中で僕は考えました。どれだけ注意したところで、人はいつ落とし穴に嵌まるかわからない。この世界はそういう場所なのだ。そして次に僕が落ちるのは、もっと深い穴かもしれない。二度とここへは戻ってこられないほどの。そのとき、僕は一体どうすればいいのだろう？

それからというもの、僕は以前のように素直な気持ちでは〈落とし穴に蓋がされている物語〉を読めなくなりました。その代わり、〈落とし穴の中で幸せそうにしている人〉が描かれた物語を好むようになりました。僕は思ったのです。暗く深く狭く寒い穴の中で、強がりでなく微笑んでいられる人の話が聞きたい。多分、今の自分にとって、それ以上の慰めは存在しないだろうから。

『いたいのいたいの、とんでゆけ』は、二度と抜け出せない穴に落ちた人の物語でした。しかし僕はそれを単に薄暗い話としてではなく、元気の出る話として書いたつもりでいます。とてもそうは見えないかもしれませんけれど、でも、そうなのです。

三秋《みあき》　縋《すがる》

三秋 縋 著作リスト

本書は書き下ろしです。

メディアワークス文庫

いたいのいたいの、とんでゆけ

三秋《みあき》 縋《すがる》

2014年11月22日　初版発行
2025年4月5日　38版発行

発行者　山下直久
発行　株式会社**KADOKAWA**
〒102-8177　東京都千代田区富士見2-13-3
0570-002-301（ナビダイヤル）
装丁者　渡辺宏一（有限会社ニイナナニイゴオ）
印刷　株式会社KADOKAWA
製本　株式会社KADOKAWA

●お問い合わせ
https://www.kadokawa.co.jp/（「お問い合わせ」へお進みください）
※内容によっては、お答えできない場合があります。
※サポートは日本国内のみとさせていただきます。
※Japanese text only

※定価はカバーに表示してあります。

Printed in Japan
ISBN978-4-04-866856-9 C0193

メディアワークス文庫　https://mwbunko.com/

本書に対するご意見、ご感想をお寄せください。

あて先
〒102-8177　東京都千代田区富士見2-13-3
メディアワークス文庫編集部
「三秋 縋先生」係